D0414861

aBsalon-mOn-gArçon

Victor-Lévy Beaulieu

aBsalon-mOn-gArçon

roman

Saint-Damase de Matapédia
Lundi le 30 octobre 2006
20:23 + 2°
[illegible]

ÉDITIONS TROIS-PISTOLES

Éditions Trois-Pistoles
31, route Nationale Est
Paroisse Notre-Dame-des-Neiges (Québec)
G0L 4K0
Téléphone : 418-851-8888
Télécopieur : 418-851-8888
C. élect.- : ecrivain@quebectel.com

Saisie : Martine Aubut
Montage et couverture : Roger Des Roches
Révision : André Morin et Victor-Lévy Beaulieu
Illustration de la couverture : clipart.com

Les Éditions Trois-Pistoles bénéficient des programmes d'aide à la publication du Conseil des Arts du Canada, du ministère du Patrimoine (PADIÉ), de la Société de développement des entreprises culturelles du Québec (SODEC) et du programme de crédit d'impôt pour l'édition de livres du gouvernement du Québec (gestion Sodec).

EN EUROPE (COMPTOIR DE VENTES)
Librairie du Québec
30, rue Gay-Lussac
75005 Paris, France
Téléphone- : 43 54 49 02
Télécopieur- : 43 54 39 15

ISBN 2-89583-133-5
Dépôt légal : Bibliothèque nationale du Québec, 2006
Dépôt légal : Bibliothèque nationale du Canada, 2006

© Éditions Trois-Pistoles, 2006

Soyons simples et calmes.

Fernando Pessoa,
Le gardeur de troupeau

1

Où il est question, entre autres chausses-trappes, de vieux restants de pays que les jambes leur manquent en fin boutte de rang, d'un titenfant handicapé et d'une Mouman soprano coloraturée, faiseuse de croissants, de pains-fesses et de gâteaux des anges.

À MATIN, IL EST ASSEZ FORT LE SOLEIL, COMME une pinte d'alcool cent pour cent proof que tu t'envoilles dans le grand gousier par lampées à faire dégueuler la vache enrageable après toute une nuitte passée dessus la corde à linge, en steppettes dépoitraillantes, éjarrements et pigrassages, de quoi sauter une croche, de quoi déreeler assez pour voir la face de ton père dans le mur qui se trouve devant toi, et varger dessus jusqu'à ce que le crépi tombe tout en poussières dessus tes piépiés — en plein le genre de choses qui arrive à aBsalon-mOngArçon quand le cauchemort le prend par ses dessous de bras et l'escoue comme un pommier pas de pommes, ou ben comme une canne de vers pas de vers, ou ben comme une vieille carpette qui se ferait battre le textile sur le garde-fou de la galerie —

OUAIS, AUSSI VRAI QUE J'EN SUIS LÀ, À RENIquer l'air devant la fenêtre, mes longs cheveux roux en danse de saint-guy à cause que ça ventouille frais dans le courant d'air et que ça brasse fort dedans, la nuitte qui vient de tomber raide morte par le grand levage du soleil, eh ben! je peux pas dire que cette nuitte-là mérite de passer à l'histoire, pas plusse d'ailleurs que mérite de passer à l'histoire celle qui est mal venue avant, pis l'autre avant cette autre-là, et ainsi de suite jusqu'à la première, pas du genre pantoute à gaigaimarionsnous, ça presse en yiabe et en démone, pour le meilleur du pire et du soupir, gaillelonla, gailerosier — juste y penser, la tête passée dans la fenêtre, j'ai le goût de m'écarquiller les jambes et de pisser tout mon contenant, à faire ruisseaux et rivières de chacun des êtres de la meson, urine jaunorange comme le soleil qui se brasse le camarade derrière la montagne à cauChON en boutte du rang où c'est c'est qu'on reste aBsalon-mOn-gArçon pis mon moimême, la bonnefemme aux pains d'épices, pistaches, pepèremintes, plommepoudings et pommequines — ainsi surbroqués nous l'avons été, aBsalon-mOn-gArçon par sa défunte mère, moi parce que j'étais pétrisseuse de grosse pâte molle en ma nubilité passée et j'avais de gros tetons aussi, c'était queque chose à voir par grand éclair de lune, deux montagnes laiteuses aussi blanches que la farine que j'avais tout le temps les mains dedans, à faire crochir des yeux jeunes et vieux, sans parler des fefises pequistes qui me reluquaient en jalouse rencontrée quand je montais au jubé de l'église, prenais place devant l'orgue et clapotais sur les touches en m'égosillant comme mAria caSares, moi maîtresse-chantresse pour les grands-messes, moi cantatrice attitrée aux mariages et aux funérailles, ma voix cigalante de soprano coloraturée, à faire teumber les angelots de leurs niches dessous la grande voûte —

JE PEUX JAMAIS PENSER LONGTEMPS À MON moi-même, il y a toujours queque chose qui vient me bâdrer, m'enfarger, me molester, me malbrasser dans mon jeu de cartes : quand c'est pas le soleil qui se lève benque trop vite, c'est habaQUq-mon-sEuL-tenfant qui demande sa pitance, ou ben c'est le téléphone qui sonne parce qu'à l'autre boutte on veut savoir si sont cuits mes croissants, mes pains-fesses et mes gâteaux des anges, ou ben c'est aBsalon-mOn-gArçon qui crie après moi parce qu'il a grand et urgent besoin que je l'admire et qu'il dépense pas mal d'énergie pour que ça soye le cas — je peux le comprendre, surtout quand c'est de bonne heure de même, après toute une nuitte à mal rêver de son père, au point d'en débâtir les cloisons à coups de poing et à coups de piépié — faut dire qu'un père pareil comme celui d'aBsalon-mOn-gArçon, on en voit même pas dans les vues tellement ça faisait dur de la cave au grenier, pire qu'un grand bœuf d'exposition qu'on lui a pas coupé ses amourettes, toujours à sentir le culte de ses taures, taurailles et vaches, la carotte excitée si longue que quand aBsalon-mOn-gArçon fait boucherie, c'est ma job à moi d'époiler la queue du taureau et de la travailler fin pour que ça devienne une superbe canne que je vends dix piastres aux vieux restants de pays que les jambes leur manquent dès que ça descend trois marches l'une par derrière l'autre —

quoique j'aime mieux pétrir le pain ou chanter le tanTôt mArgOt de ma si tant belle voix de soprano coloraturée, comme que c'était le cas en jadis, juste avant que je me marisse avec aBsalon-mOn-gArçon que voilà, tout fraîchement apparu devant la fenêtre où c'est c'est que mon requinben tenait plus que par un fil, ct voilà-làlà ce fil-là déjà coupé, làlàlà, avec quoi d'autre me passant au travers du quenœil lascif, sinon ceci : monté sur son grand bœuf roux d'exposition, aBsalon-mOn-gArçon il déambule devant la fenêtre, en costume de matamore et de matador, ça brille comme soleil les franges dorées du costume et les tipompons du tricorne et la canne à pommeau, doré aussi, qu'il tient de la main gauchetière pour mieux la faire dévironner au-dessus de sa grosse tête dure : parce que pour l'avoir dure sa vingueuse de caboche, fiez-vous sur mon candide raton : aBsalon-mOn-gArçon a la caboche plusse difficile à cuire que les pans de tuf en crêtes de cloques qu'on trouve derrière la meson che nous — quand je lui en fais reproche, je me fais revirer vitement de bord dans mes souyiers : « penses-tu que je serais encore là aujourd'hui si j'arais eu seulement de la mouelle de bœuf entre les deux areilles ? Margoulons, margoulettes ! Avec toutes les claques que j'ai reçues de mon défunt père sur la portraiture, j'aurais le cerveau en forme de bol de jello, de galantine ou ben d'aspic aux tipois verts, je ferais rien d'autre que de branler dans mon manche et ça serait pas le yiabe indiqué pour un quequn comme moi qu'on a chargé de rendre dans leurs grosseurs taures, taurillons et grands bœufs d'exposition. Tu comprends-tu ça au moins ? » — Mets-en que je le comprends, pis deux fois plutôt que l'une sans l'autre ! — ça fait vingt ans que notre che nous a l'air d'une étable, par rapport que c'est plein de portraits de bœufs dessus les murs, de sculptures de bœufs partout et dans n'importe en quel des êtres de la meson, salon, salle de bains, chambres, cave et grenier : en veux-tu des grosses faces de taures, de taurillons et de grands bœufs d'exposition ? — ben, viens che nous, tu vas en zieuter pour t'écœurer le canayen errant jusqu'à la fin de tes jours ! — aBsalon-mOn-gArçon y connaît rien d'autre, depuis sa titenfance qu'il nettoye l'étable des seigneurs TOBune, qu'il étrille leurs grands bœufs d'exposition, leur donne à manger, le même menu toujours : du grain rond en guise d'entrance, du foin comme platée principale, de la mélasse pour roter gai sucrage, deux fois par jour mon pepère, dedans des mangeoires assez grandes que tu pourrais prendre ton bain dedans —

MAIS LÀ, FAUT QUE J'ARRÊTE DE DÉPENSER parce que sinon je vais oublier ce que je dois bretter pour qu'aBsalon-mOn-gArçon soye heureux d'être déjà en besogne quand le soleil est à peine plus gros qu'un œuf poché dans le ciel derrière la montagne à cauChON — c'est important pour aBsalon-mOn-gArçon que je le regarde se promener devant la fenêtre sur le dos de son grand bœuf d'exposition, il faut que je lui montre que je suis fière de lui, pour ainsi dire flambant nue que cette démonstration-là doit se faire : quand les longues cornes du bœuf d'exposition grafignent le bas de la fenêtre derrière laquelle je me détiens, c'est pour moi le moment d'agir, je prends à deux mains le bas de ma robe à tipois verts et je me la retrousse par-dessus la tête pour qu'aBsalon-mOn-gArçon me voye la touffe, grande comme le triangle des berNUdEs et poilée noir comme manteau d'hiver de grosse mère ourse, puis c'est mes tetons qu'il a ensuite dans la face, deux énormes mamelles, un brin flapi c'est, mais que voulez-vous : des mamelles c'est comme le monde, ça croît dur comme fer en folle jeunesse et ça décroît mûr comme mer en molle vieillesse — malade qui s'en formalise, en meurt chagrin qui s'en démoralise trop et trop souvent, ce qui est pas mon cas parce qu'aBsalon-mOn-gArçon voit jamais que du feu sitôt que je lui montre ma touffe des berNUdEs et mes tetons de grosse mère ourse — y en bande dessus son grand bœuf d'exposition à en faire sauter les boutons de sa blaguette, son membre si viril que le soleil en serait beurré toute la journée si aBsalon-mOn-gArçon se retenait pas pour pas lui éjaculer dans le quenœil — j'aime mieux garder pour moi le produit de ses amourettes et rien que d'y penser, j'en mouille à l'avance, je me mettrais drette là à entonner rigOLEtto si je me retenais pas des deux mains pour pas le faire : ça perturberait aBsalon-mOn-gArçon pour toute la journée qui fait que commencer et, du bord des grands bœufs d'exposition, ça regarderait mal parce qu'aBsalon-mOn-gArçon les soignerait moins bien et les seigneurs TOBune le prendraient plutôt mal : quand t'es grand bourgeois, que l'argent te sort des poches tellement t'en as de trop, tu niaises pas avec le monde que t'engages même si t'as affaire à ton tifils et que ce tifils-là est le seul à pas avoir trahi la famille — toutes les matantes et tous les mononques d'aBsalon-mOn-gArçon ont déguerpi dès le sortir de leur adolescence vers queBEC et mORial et sont jamais reviendus au pays fatal, même pas pour une escapade de fin d'été quand le seigle, l'avouene et le blé dingle blondissent dedans les champs, à perte de vue ça se présente, comme le fleuve quand il prend le bord de MaTane pour devenir estuaire, large comme un continent, profond comme la fosse de bABel, scintillant comme le cap du DIAmant — toute cette beauté-là, ils s'en ostifient les matantes et les mononques d'aBsalon-mOn-gArçon, à cause qu'ils ont toujours détesté leur seigneuresse TOBune de mère et leur seigneur TOBune de père : du monde très sauvages dans leurs sentiments, très durs pour leurs corps comme pour les ceusses des autres : la seigneuresse TOBune a passé la plus grande partie de sa vie en portant le silice et chaque vendredi du mois, le seigneur TOBune se faisait flageller par elle avec un long fouette à nœuds cloutés — pendant le carême et la semaine sainte, c'était tous les jours que ça se surpassait! — de quoi comprendre que les deux ont pas le corps trop ragoûtant: t'as beau les prendre par devant ou par derrière, c'est mal amanché pas ordinaire, c'est malavenant pas rien qu'un peu, pour pas dire tout simple que le banc des innocents che eux est pas occupé souvent parce qu'il y a pas grand-monde que ça leur tente d'aller se faire dorer la couenne aura le gros poêle à trois corps du seigneur TOBune, toujours en train de chauffer rouge cerise noire que c'en est pas restable dans ses environs à moins de plus avoir beaucoup de viande sur les os, comme c'était et comme c'est toujours le cas pour TOBune-son-père et TOBune-sa-mère — c'est aussi vieux qu'un péché mortel ce monde-là, ça a l'air de deux chicots d'épinette noire après qu'un gros incendie a ravagé la forêt, c'est planté tout chenu, tout carbonisé dans le paysage, comme en plein désert, ça devrait se fritter en grandes cendrées, mais ça veut pas ni s'effondrer ni sombrer même si ça approche d'être centenaire, que ça mange plus rien que de la purée, que ça pisse au litte ou ben dans leurs culottes à grand'manches quand ça ravaude dans la meson, toujours en train de vérifier si l'argent mis en cachette dans les murs s'y trouve encore ou ben si quequn est pas passé d'en par là en pleine nuitte pour se remplir comme il faut l'argoussette par grandes chaudiérées de gros billets de banque aussi plissées que leur vieille peau de fesse ! —

DE LA FENÊTRE, JE VOIS PLUS ABSALON-MON-gArçon ni le grand bœuf d'exposition sur le dos de quoi c'est c'est qu'il se tenait aussi fier-pet que jOHn WAYne sur son bronco sauvage dans la cheVAuCHéE fantastique — à côté de la meson qu'on reste dedans, il y a un potager, puis une ridelle d'épinettes à corneilles, puis une pente raide qui mène tout drette aux bâtiments des seigneurs TOBune : là-dedans, c'est rempli de taures, de taurillons, de vaches et de bœufs si malcommodes qu'on les tient enfermés dans des enclos, une grosse chaîne pendue par un anneau à leur mufle, un sac de jute arrimé entre leurs cornes, qui les aveugle, parce qu'autrement on pourrait même pas entrer dans leurs boxons pour y pelleter le fumier, pas aussitôt rendu là-dedans que tu te ferais encorner, étriper et piétiner à mort, comme c'est arrivé naguère avec un cefils TO-Bune, toujours un verre dans le nez qu'il avait celui-là, au point que son corps avait pris la forme d'une cruche de gros caribou, même l'anse on aurait dit qu'elle s'y trouvait aussi, une grosse bosse en guise d'areille qu'il avait là le cefils TOBune, un kyste qui cessait pas de proliférer, TOBune-sa-mère fournissant pas à lui tricoter des tuques pour que le kyste y disparaisse en même temps que tout son dessus de tête — c'était laitte pas ordinaire et le cefils TOBune en avait le cerveau un brin fêlassé, les mauvaises humeurs de son kyste neyant le peu de matière grise qu'il avait encore sous le cabochon — aussi ben dire qu'il est devenu fou comme le balai et enragé par dedans comme un mauvais chien naziste — on pensait tous dans la famille que le cefils TO-Bune allait finir par tuer père et mère, mettre le feu aux bâtiments et raser au bouledozeur toute la seigneurie tellement la l'hyhaine l'avait reviré à l'envers dans ses bas : quand t'es mal équipé pour faire farce à la vie, t'as que du méchant en guise de partageage, comme celui qui attendait le cefils TOBune quand il est parti agousser le gros taureau en transhumance dans le pacage du trécarré — il s'est fait fesser fort pas ordinaire, le bœuf te l'a poigné par une corne en plein milieu du ventre, puis le bœuf te l'a secoué si tant bien que ça a pas pris goût de traînette pour que le cefils TOBune perde toute formance d'homme : ses intestins sortis, ses viscères sortis, son cœur tout noir sorti itou, une boucherie de fin de décembre au beau mitan du mois de juillette, du jamais vu autant d'odeurs malaucœurantes, à empuantir le paysage pour des semaines, des mois, sans doute même des années — une vraie pitié quand c'est c'est qu'on a retrouvé le cefils TOBune au boutte du trécarré, son corps par morceaux mis dans trois grosses chaudières qui furent par la suite transportées chez l'entrepreneur des pompes funestes — méchant contrat de recoudre le corps en toute sa viande déchiquetée, un trop gros contrat même pour le plusse meilleur des embaumeurs du pays fatal, de sorte que quand les funérailles du cefils TOBune ont eu lieu, le couvercle de son cercueil est resté fermé, en sa noire éternité déjà — pour le bœuf enragé, la suite de l'histoire est un gros point d'interrogation : il avait pas attendu qu'on retrouve le corps du cefils TOBune pour déguidiner, le yiabe seul sait où parce que malgré de longues journées à faire battues aux quatre coins du canton, le bœuf tueur d'hommes s'est pas remontré la face en nulle part — peut-être mal pris pour un orignal épormyable par un chasseur en braconnerie, peut-être en ses bas ravalés au fond d'un ravin où c'est c'est que les corneilles à épinettes noires se sont chargées de le dépiauter sur le long comme sur le large, quoiqu'aBsalon-mOn-gArçon partage pas ce point de vue-là : à son dire, il l'entend, le bœuf assassin, il l'entend beugler comme un éperdu au-delà du champ de patates derrière la meson, et ça a rien de rassurant pour un quequn que les disjoncteurs jouent pardevers sa caboche à saute-la-moutonne toutes les nuittes ! —

BIEN QUE J'AIMERAIS ÇA FAIRE DE MÊME, JE peux pas rester plantée ainsi comme un piquette de clôture face à la fenêtre, à regarder passer le temps sur la ligne d'horion — j'ai de la besogne en masse qui m'attend dans la cuisine, des embrassées de linge à passer dans le tordeur du moulin à laver, la huche à pain à défariner, le plancher à lastiquer, le repas de midi à quatorze heures à préparer, les tipoulets à soigner, sans parler d… non!!!!!!!!!!!! !!!!!!!!!!!!!!!!!!!!!!!!!!!!! — je veux pas penser tusuite à habaQUq-mon-sEuL-tenfant, prunelle de mes ayeux, tréconfort de ma corporation, poteau de mon annonçable vieillesse — au figuré c'est à mettre tout ça pour cause de handicap : quand habaQUq-mon-sEuL-tenfant est viendu au monde, c'est par la tête qu'il est arrivé, si grosse cette tête-là que j'avais beau forcer comme une démone, c'était pas possible pour elle de franchir le col de ma matricitude — résultat : aBsalon-mOn-gArçon s'est énervé et il a fait une mauvaise sage-femme de son lui-même — il savait pas trop comment ça marche le forceps, il a pesé trop fort sur les poignées lorsque la tête d'habaQUq-mon-sEuL-tenfant s'est trouvé enserrée dedans, et la tête d'un bebé naissant ça a des os si mollassons qu'une malpression dessus te les déforme pour la vie — résultat encore : à le regarder, on dirait qu'habaQUq-mon-sEul-tenfant a une tête sur deux étages comme c'était le cas avec la tour de bABel avant que jéhoVAh l'envoille rouler par terre d'une simple et titeclaque sur le mufle — résultat toujours : habaQUq-mon-sEuL-tenfant a beaucoup de mâchoires et beaucoup de menton, mais bien peu de fronteau, de tempes et d'areilles, les fers du forceps les ayant obligés à croître par en dedans, enlevant ainsi de la place pour que s'expansionne la matière grise — habaQUq-mon-sEuL-tenfant en a si peu qu'elle peut pas se tenir deboutte toute seule, en telle sorte que depuis dix ans qu'il est au monde il a pas de jambes pour se porter ni de langue pour parler vraiment, toujours couché dans ce litte placé proche du mur à côté du nôtre dans la chambre que je couche dedans avec aBsalon-mOn-gArçon — c'est pas l'idéal quand on voudrait malmener une vie sexuelle endiablante, mais c'est moins pire que de devoir se lever à toutes les quinze minutes pour aller aux nouvelles par-devers un quequn qui pourrait ben s'étouffer avec le peu de langue qu'il a ou passer de longues heures les fesses souillées d'urine et d'excréments : quand on boulange des croissants, des pains-fesses et des gâteaux des anges comme autant en emporte le ventriloque, on a le mot propreté inscrit au milieu du front et les jambes et les bras dépensent beaucoup de bonne volonté pour que tout reluise dans la meson, au point que ça gênerait personne s'il fallait, par amputation des pattes de chaises et de tables, manger par terre, le prélart à carreaux à tipois verts en guise de napperon —

JE ME SUIS DÉVIRÉE DEDANS MON CORPS POUR mieux voir habaQUq-mon-sEuL-tenfant, mais je me retiens pour pas faire le premier pas vers lui : le somnifère qu'il a avalé aux tite-heures du matin lui fait encore de l'effet, on dirait l'archange gABRIel malgré la drôle de tête qui repose sur l'areiller et les grands pié-piés qui dépassent de la couverture — à pas faire jamais de l'exercice pis à avoir l'appétit d'un gARganTuesque, tu profites vite — à peine dix ans et habaQUq-mon-sEuL-tenfant a presque entaille d'homme : ça le rend malaisé à transporter de la chambre à la cuisine quand ça se réveille et pleure parce que la faim en ses tenailles l'a pris et que c'est mieux de répondre tusuite si on veut pas passer la journée à mamourer et à catiner sans bon sens, pas une minute de répit tellement c'est exigeant un quequn que le forceps était pas de son bord quand c'est adviendu au monde — à force de porter HabaQUq-mon-sEuL-tenfant d'un bord et de l'autre de la meson, me voilà astheure avec la flanche gauche déboîtée : le gros os du bassin m'est entré dans la flanche, si profond c'est par dedans qu'on dirait que je me suis gossée une manière de chaiselitte en mon bas côté — j'ai qu'à la mettre dans le bon angle par rapport au litte, qu'à tirer habaQUq-mon-sEuL-tenfant vers moi, qu'à lui présenter ma flanche et il s'assoit dans l'enclavure, m'enserrant la poitrine de ses bras (sont longs comme ceux d'un tenfant glorillieux et quand ça croise les doigts, pas facile de se dépoigner de pareille emprise) — mais fais ce que dois ! comme le dit la devise des seigneurs TOBune dans l'épais encadrement de chêne tigré qui occupe presque tout un mur de la meson che eux — fais ce que dois ! —

DEPUIS DIX ANS, PAS UNE SEULE JOURNÉE que j'ai passée sans hommager cette sacrée maxime-là, par commisération, compassion et misère à corde : après toute, c'est pas de sa faute au pauvre tinange s'il est handicapé, pas sortable et peu jasant : peu importe comment qu'on se retrouve chacun dans sa chacune, avec beaucoup de matière grise ou pour ainsi dire pas pantoute, on a toujours besoin de savoir qu'on a une mère pour soi et que, n'importe quand, il suffit de lui chanter l'alouette pour qu'elle s'en vienne dans l'aussitôt auprès de soi sans faire babounerie de son visage ni hostilité de son langage : sous rire et sous sourire tout le temps même si le corps est las et l'esprit tailleurs, même si la croix est dure à transporter et les samaricains peu nombreux — seul compte l'amour et habaQUq-mon-sEuL-tenfant pourra toujours être certain du mien malgré régressation, détression et désenchantementelage —

QUAND JE TOMBE AINSI EN FAFLEUR DE RES-torique, je me redresse courageusement la couette : pas question pour moi de chanter autre chose que FigarosIFigarola et de préférence en prenant mon bain — aussi je m'arrache à ma contemplative maternitude pour me jeter à jambes rallongées dans la porte de l'accordéonne qu'aBsalon-mOn-gArçon a menuisée dans le mur parce qu'il me traite aux titoignons espagnols et qu'il voulait pas que je me fatique pour rien à faire la lavette entre la chambre à coucher et la salle de bains : aussitôt que la nuitte descend sur la vaste mondialisation des marchettes, habaQUq-mon-sEuL-tenfant perd toute sa continence, ça se met à bardasser dans son bas-ventre comme si la grande canisse du roi des vents était pleine à ras-bord — du pet excessivement malodorant en veux-tu en voué-là, que ça devient pus sentable nulle part dans la chambre, comme une shède à fumier quand le soleil printanier chauffe la couverture de tôle, excitant les gaz endormis en gros tas bouseux à monter jusqu'aux soliveaux — si le cœur te lève pas quand ça arrive, c'est qu'il est tout ennoirci par dedans de malvieillesse ou ben c'est que t'as une pierre en son lieu et place — faites-en comme moi l'analogique expérience, vous voirez et sentirez ben que trop : prenez des œufs passés date, laissez-les plusieurs jours encore se faire dorer la croquille au soleil, puis recueillez-les dans le panier du tipoussette, transportez-les jusqu'à votre chambre, faites-en un amoncellement au mitan d'icelle et, sans ménager ni la chèvre ni la bouquetin, sautez à pieds joints dessus les œufs — si d'aussi malaucœurantes odeurs vous décrêpent pas d'un coup le chignon de la crigne, c'est que vous êtes mûr pour être dégoûtier dans le ventre salopé du grAnd moRIAl ! —

ENTÉCAS ET SANS PARKA, ME VOILÀ ENFIN dans la salle de bains, à remplir d'eau chaude la baignoire, à y mettre plein d'algues marines liquifiées et du savon de senteur à la lavande — en attendant que ça mousse à mon goût, je vais vers les encadrements de taurillons et de grands bœufs d'exposition et je baisse les tistores de fines lattes que j'ai fait poser au-dessus de chacun d'eux : j'aime pas prendre mon bain quand me zieutent de gros yeux bovins parce que peu importe où c'est c'est que tu tournes la tête, on dirait que ces gros yeux-là bovins te suivent pour ainsi dire à la trace et j'avais ben assez, dans mon enfance, de ceux de ma défunte mère, globuleux comme en portent les pouessons morts, toujours en train de faire le guet-apens de contre moi, avec tant de mauvaiseté dedans que j'en fondais littéralement malgré mon peu de graisse — aussi, et dès que je me dévire un tant soit peu dans la salle de bains, je fais nuitte noire avec tous les queœils susceptibles de me reluquer la paroissienne puis, mon inspection faite, je me détrousse de mes oripeaux et me regarde dans le miroir tout en m'enduisant le corps d'huiles parfumantes — même si c'est pus ce que ça a déjà été de ce bord-là des choses, je peux pas dire que mon corps je l'aguis : il est comme toute dépeinturé, semblable à un arbre que l'écorce se desquame après son tronc, pis mes jambes ont marché lourdement dans le sillage de mes tetons, deviendues grosses pas ordinaire, des jambons que dit d'elles aBsalon-mOn-gArçon quand il veut m'étriver avant de mettre son costume de grand bœuf d'exposition et de sauter sur moi, la queue en carotte rouge vif, les babines retroussées, la langue pendue longue en dehors des lippes — moi, je suis pas capricieuse pour les affaires du sexuel, je pourrais m'en passer c'est sûr, mais je trouverais ça quand même de valeur : quand aBsalon-mOn-gArçon me décharge sa pelletée de blanc-mange dans le bas-ventre, ça me fait toujours chavirer par en-dedans comme par dehors — ça dure peut-être juste un titrente secondes, mon cœur qui descend jusqu'au boutte de mes arteils, puis remonte jusqu'à mes areilles, mais c'est tellement pas piqué par les vers comme sensémotion que vingt fois sur son métier je laisserais aBsalon-mOn-gArçon me remettre son gros ouvrage dedans le bas du corps —

De tout mon long effouérée dans la baignoire, je laisse les odeurs de l'eau me pénétrer les anfractuosités — c'est chaud, mamical, comme si plein de titemenottes me tapotillaient dessus, comme si plein de doigts trèmenus me pianotaient dessus pour que je m'ouvre au plaisir solidaire de la musique et du chant — dès que je me baigne, c'est la mer des tranquillités qui m'habite comme en mon temps de très jeunette fefille quand tous les espoirs étaient promis, tous les plaisirs inventables, toutes les partitions accessibles, tous les livrets disponibles, toutes les notes entendables — j'étais alors pensionnaire chez les bonnes sœurs de la divine prOVIdeNce de quEbec en la belle ville de remouSki — titechambre grande comme ma main, véritable cellule de moinesse, une table, une chaise, une couchette de fer, un placard, un chromo sur le mur, le même dans toutes les cellules : scène de la nativité, avec la ViERGe-mariE, le tenFAntDiEu sur sa couche de paille, les bergers, les anges, les moutons, l'âne et le grand bœuf d'exposition (ça me fatiquait pas de le voir celui-là parce que ses yeux étaient fermés et que ça s'ouvrirait jamais pour m'espionner la portraiture), bref : de l'image d'ÉPInal comme on en voit dans tous les vieux restants de films en noir et blanc, rien pour se trémousser en nulle partie charnue de sa personnalité — on aurait de toute façon pas eu de temps pour s'y livrer parce qu'on priait beaucoup chez les bonnes sœurs de la divine prOVIdeNce de quEbec en la belle ville de remouSki — en plusse de jaculer oraisons et litanies, on étudiait du matin jusqu'au soir, on besognait fort aussi à laver à grande eau les planchers de la chapelle et du long corridor qui menait à la cellule de la mère supérieure — malgré que ça s'était engrainé bonne sœur, ça avait reçu le don de la beauté rare, qui se laissait voir en dépit de la longue robe noire que ça portait et de la cornette que ça lui dissimulait la moitié du front, la moitié des areilles et tout le dessus de la tête — quelle belle peau de prêche elle avait la mère supérieure ! — quelle finesse dans les retraits de son visage ! — quel air majestueux de santé à resplendissement invarié ! — et quelles bonnes odeurs d'eau de prose irradiant d'elle aussitôt qu'elle bougeait un bras ou un piépié ! — je vais dire comme on le devrait pas : comparée à ma défunte mère plutôt malaucœurante en son incorporation de corps osseux et de zieux globuleux qui lui donnaient une pataffreuse tête de guernouille, la mère supérieure avait l'air et la chanson d'une star belle du cinema quand ça faisait que se commercer, dans le style maRy pIckfOrd dont le portrait, tout en atteintes pastelles couleuré, prenait bonne place entre ceux de la VieRge-mArIe et du TitEnfantDieu cloués sur le mur derrière le pupitre de chêne tigré que dans son bureau la mère supérieure était toujours assise derrière — tandis qu'à quatre pattes, ma jupe de couventine relevée à hauteur de fesses, je passais le plancher à la brosse décapante, la mère supérieure chantonnait le temps des cerises à grappes ou celui du muguet reviendu, et sa voix sentait bon le frais d'un matin printanier quand ses odeurs, comme autant de titequeues de merises rosissantes, te chatouillent la peau rien qu'à s'y effleurer dessus — moi, ça me revirait à l'envers dans mon peu de requiben, ça m'émoustillait de la cave au grenier, je savais plus comment me détenir, brosse et brosse le plancher, envouèwe fort ma cefille, sur tes quatre pattes en tremblante de moutonne tellement la voix de la mère supérieure m'émoustillait la dentelurette, comme qui dirait sous archanges j'étais, c'est-à-dire ni plusse ni moins que complètement revirée dessus mon couvert ! —

JE SAIS PAS LE YIABE TROP TROP POURQUOI CET épisode-là de ma vie en jeunette cefille refait toujours surface quand je prends mon bain, comme si j'avais passé mon temps de couventine à faire eau de toutes parts à cause que la beauté de la mère supérieure cessait pas de me tournebouler le corps et l'esprit : quand j'étais ailleurs que dans son bureau, je pensais juste à m'y retourner, j'avais juste hâte de l'en retrouver, un siau et une brosse dans les mains, à quatre pattes dans le long corridor, sous les fougères poussant, luxuriantes, dans les encorbeillements le long des murs — j'allais vite en besogne et j'avais soiffe parce que brosser l'une après l'autre toutes les planches du corridor, c'était comme de traverser le désert, ça me donnait chaud sans bon sens, je m'enperlais de sueurs, je me sentais proche de tomber dans les pommes du pire, je me pinçais pour que ça arrive pas, je me mordais les lippes jusqu'au sang — et c'était épuisée que je donnais tête la première contre la porte de la cellule de la mère supérieure — mais dès qu'elle me caressait la tête de sa jolie main toute potelante, j'oubliais la traversée éreintante du corridor, je devenais comme pleine de fleurs à l'intérieur de moi, j'aurais donné ma vie pour avoir le droit de rester ainsi, pareille à un tichien qui branle fort de la queue juste pour que son maître lui tapote le dessus de la caboche et lui donne le boutte de ses doigts à licher — que d'émois, que d'émotions, doux jeSujeSube ! —

RIEN QUE D'Y REPENSER, J'EN MOUILLE DE l'intérieur comme ça m'arrive même pas lorsque mon désir d'être montée par aBsalon-mOn-gArçon me rend aussi gloussineuse et racouinante qu'une truie en ses menstruies : quand pour la première fois de ta vie tu t'adonnes à rencontrer la beauté dans son infinie perfectibilité, tu fais pas par exciprès pour donner dans la rétention, la culpabilité et le remordissisme qui va avec — tu profites de tout ce qui se passe et s'y passe, même de ton jupon qui dépasse : si la jeunette est innocente, elle est quand même pas gnochonne au point de refuser le plaisir quand celui-ci met bas les bretelles et qu'il le fait sans arrière-dépensée, tel ce fut ressenti par mon moi-même aussitôt que je me suis retrouvée dans la cellule de la mère supérieure — avec le recul, c'est certain que je pourrais me poser des questions sur pas mal de choses, par exemple sur ce que me disait la mère supérieure en me regardant brosser le plancher à quatre pattes, ma jupe remontée sur mes hanches pour pas qu'elle se salisse dans l'eau de lavage : « quel beau gros culte tu as ! » — c'est ce que chantonnait la mère supérieure tandis que sans le vouloir, je me branlais la postérité à cause des mouvements saccadés que je devais faire pour que les poils d'acier de la brosse entrent profond dans les craquelins des planches — ça me gênait pas que la mère supérieure mêlasse l'AgNUS dei à mon beau gros culte, ça me faisait plutôt du bien de l'entendre ainsi me chanter fesses de meilleure façon que ma défunte mère qui me disait pour tout et pour rien : « ton gros culte de truie fainéante, enlève-moi le de la face, espèce de dégénérée mal entrelardée ! » — si j'optempérais pas aussitôt, je recevais dans le derrière de la tête une claque si hostile que j'avais toujours peur qu'elle me décolle des épaules et aille s'étamper à jamais sur le mur, dessus le couvercle de la grosse boîte à bois de chanquier ou bedon dans le chaudron de fonte plein de chiard au lard salé en train de cuire sur le poêle — tandis qu'avec la mère supérieure, j'avais le sentiment enivrant que j'étais caressée pour vrai et pour la première fois de ma vie : j'en avais tellement de besoin que j'aurais passé à la titebrosse à dents tous les planchers de tout le couvent du matin jusqu'au soir plutôt que de laisser ma place à une autre — et cette place-là, je l'ai gardée le plus longtemps que j'ai pu, fiez-vous à mon timoi-même haïssable là-dessus ! —

J'AI MIS LE PIÉPIÉ SUR LA PÉDALE DU DÉVIdoir de mes pensées pour l'arrêter de tourner — il m'a semblé entendre un bruit provenant de la chambre où c'est c'est que t'à l'heure j'ai laissé habaQUq-mon-sEuL-tenfant endormi dans les bras de la mORte fLille — le corps mou, je tends raide l'areille : ai-je ouï queque chose ou l'ai-je pas, toute ma maternitude s'y interroge et s'y inquiète, cette peur toujours que les ridelles du litte d'habaQUq-mon-sEuL-tenfant soyent mal arrimées dans leurs assises et que le cher cefils, par une simple mouvement désordonné de ses bras glorillieux, en déclenche le mécanisme mal assujetti et se retrouve presque aussitôt par terre parce que l'apeure le fait qu'il y aye plus les ridelles de son litte en guise de bralises, surtout si je me trouve pas à son bras-côté pour le brassurer — deux fois depuis sa naissance c'est arrivé à habaQUq-mon-sEuL-tenfant de tomber ainsi en bas de sa couchette, se cassant le nez la première fois, se fracturant la flanche la deuxième fois : à pas faire d'exercice, habaQUq-mon-sEuL-tenfant a les os facilement friables, pour un rien ça s'émiette en mie de pain ou ça se casse en miroitante vitre — chaque fois que ça arrive c'est d'enfer et damnation, pleurs et grinchements de dents à n'en plus finir — ça fait de toute nuitte passée dans la chambre une symphonie si plathétique qu'aBsalon-mOn-gArçon en perd chaque fois les pédales de son bécique à gaz, ajoutant le chapelet de ses litanieuses colères aux notes discordées et souffrantes d'habaQUq-mon-sEuL-tenfant —

TOUT ÉTANT DU BORD D'HABAQUQ-MON-sEuL-tenfant pour ainsi dire neyé dans un silence sans anicroches, je reprends conscience en ma baignoire dont l'eau s'est refrédie juste ce qu'il faut pour me donner la chair de moule dans mes parties de corps non immergées — du robinet, je fais donc couler l'eau chaude puis, me calant dedans jusqu'aux areilles, j'enlève le piépié de sur la pédale du dévidoir de mes pensées — il me tarde de revenir à la mère supérieure alors que le plancher de sa cellule bien brossée par moi, j'avais droit à reconnaissance et tendresse : la mère supérieure me faisait venir vers elle, me crémait les mains pour empêcher qu'elles gercent, me crémait les genoux pour empêcher qu'ils se croûtent et, ainsi bien partie dans l'épandage, elle m'en mettait sur les fesses et dans le triangle des berNUdEs, son annulaire polisson y faisant grisette et m'incitant, si excitée, à en faire autant — je m'y dépliais sans mauvaise grâce tandis que la mère supérieure chantonnait : « quelle belle grosse chatte tu as là, ma tenfant ! » — aurais-je dû m'enlarmer, me questionner, compter mes peurs et en conter à l'aumônier lorsqu'il m'entendait en confession, la main sous sa soutane et les yeux dans le suif de porc frais dès que je lui avouais les plaisirs que j'avais à me caticher le haut des cuisses et le bas du culte : « raconte-moi tout, oublie rien, cèle rien, car l'absolution est nulle si la vérité toute nue la précède point » — je mentais qu'à moiquié, et cette moiquié-là c'était la mère supérieure qui me disait de quoi m'excuser quand l'aumônier mettait barrette et étole avant d'entrer en confessionnal et d'y allumer la croix rouge au-dessus du venteau, signe que le sapré cœur de JésUS était fin prêt à saigner pour que me soye accordée l'absaloncution —

j'avais pas besoin d'être la tête à PapINEau pour comprendre que c'était là un monde fait de simagrées et que j'avais nulle envie de m'y conformer, le dieu tout-puissant étant davantage du bord de la mère supérieure que de celui de l'aumônier : quand la mantine passe, laisse-toi teumber dedans, prends-y plaisir et chante tout ton contentage car ainsi découvriras-tu ta voix de soprano coloraturée et te mettras-tu à en forger le registre — qui l'eut crû, peut-être même pas le bonhomme lUsTucru, que ma vie prendrait pareil chenaillage, si peu prévisible ce matin-là que ma défunte mère me mit à bord de l'océan liMITÉ avec pour seul bagage une vilaine valise de cartron que la poignée s'en était allée chez le yiabe vauvert ? — qui l'eut crû, peut-être même pas la bonnefemme lUStucruitE, que je deviendrais la tenfant chouchou de la plusse belle mère supérieure du monde, que je monterais en chorale comme montent en graines le céleri italien, la ciboulette canayenne et la rhubarbe quebecoise, que je m'y illustrerais au point de passer à la radio, dans ce récital-bénéfice pour les œuvres lafricaines du cardinal le léGèr, un triomphe pour mes cordes vocales, qui se parla même dans les gazettes du grand mORial et d'ailleurs, avec plein de photografures sivousplise en pages des faits d'hier, les celles même que personne saute par-dessus —

L'EAU DANS LA BAIGNOIRE S'EST REFRÉDIE SI brusquement que ma sortie des limbes fait pareil : sont déjà passés date les applaudissements de la mère supérieure, ses câlineries et ses tibesers mouillés, puisque mon père vint me quérir en mon couvent si gailonlasifailerosier pour me ramener à la meson che nous parce que ma défunte mouman avait mal pris l'air hivernal et s'y était si tant tellement frigorifiée que ses poumons inspiraient plus guère confiance — à bout de souffle qu'elle était rendue, râleuse et râlante dans le gros fauteuil face au poêle à bois, une épaisse peau de mouman moutonne l'abrillant de bas en haut, et ça suffisait même pas à la réchauffer pour la peine tellement le méchant courant d'air lui avait fait son affaire — une question de jours, avait dit mon père ce jour-là qu'il a mis fin à ma carrière de rousse cantatrice : « avec les bons tirepas que tu vas cuisiner pour ta meman, ça prendra pas l'engoût de tinette qu'a va guérir pis moi itou parce que ça me rend très malade, trop prime sur la renvoyure d'estomac, de voir ma fleflemme si dégradante, pour ainsi dire à deux doigts dans le nez de se faire faire guili-guilis par la pompe funeste pour l'éternité » — juste une question de jours qu'il disait ! — sauf que ce jour-là a mis sept longues années à se surpasser et que le tiquette a été valable aussi ben pour ma meman que pour mon pèreternel : sont morts l'un par derrière l'autre, avec même pas trois mois de distantiation entre, et j'étais plus pantoute une charmante titenfant au beau gros culte aimé par la plusse meilleure des mères supérieures du monde : j'étais deviendue une boulotte criature de dix-neuf ans qui pétrissait à la journée longue de la pâte à croissants, pains-fesses et gâteaux des anges, pas de quoi faire revirer sur le couvert une jeunesse virile et rigide cherchant vite et vif à s'ensemencer avec bonheur dans le pré, la quequne couchée en dessous et le quequn zigonnant fort et raide dans l'offrantenante anfractuosité — tant de pensées amères qui me viendaient à l'esprit, sans compter que j'étais épeurée pour mourir de rester vieille fefille et d'étirer sans fin la sainte-catherine en pure dépense d'énergie mal plaquée — de quoi comprendre encore que ce jour-là qu'aBsalon-mOn-gArçon s'est présenté le rat bête dans la meson che nous pour y acheter l'usufruit de ma boulange, j'étais mûre pour faire faire grande trempette à son pinceau : que voulez-vous qu'on y fasse, sinon procréer le cher cefils, dans le plusse meilleur boutte de rang qui puisse se prouver, icitte même en montée de route graveleuse à cauChON, rien d'autre maintenant qu'une baignoire remplie d'eau frédissante, avec un ancien et beau et gros culte pour ainsi dire neyé dedans ! —

« MOUMAN ! MOUMAN ! AH MOUMAN ! » — ce qui doit arriver finit toujours par se crier sans gare ni train à l'orient, comme s'il fallait chaque fois que je me fasse casser ma veillée de remembrance et de remémorisation sans que je puisse en atteindre le chœur, quand ça se chantait à gorge déployante sur la scène de la scaLA de miLAn du couvent des sœurs de la diVine provIdence De quEbec en la belle ville de REMOUSki — mais que voulez-vous : si on s'équipe pour la maternitude, c'est pour la vie qu'on s'y altère et c'est à prendre en son tribord comme en son bâbord, sans grognement porcin ni beuglement de tauraille que le rut s'épelle dedans — « Mouman ! Mouman ! Ah Mouman ! » — je suis déjà en sortir de la baignoire, je m'essuie de la tête aux piépiés, j'enfile ma robe à tipois verts, je brosse vite mon épaisse chevelure rousse, je remonte les tistores pour que réapparaissent les portraits des grands bœufs d'exposition d'aBsalon-mOn-gArçon, je chantonne cArMEN du boutte des levrettes, puis je m'extirpe de la salle de bains, sans contrainte ni nostalgie : j'ai toujours hâte de faire risette à habaQUq-mon-sEuL-tenfant quand je me sais propre du dedans comme du dehors — trois pas encore et j'y serairesterai pour toute la longueur de la journée — « Mouman ! Mouman ! Ah Mouman ! » —

2

*Un titenfant aux longs bras
glorillieux, à la blaguette
magicieuse, versus des tipoulets
qui démontrent parfaitement
que le bonheur
est dans le pré du ouasin
et que ce pré-là mérite
qu'on s'entretue pour !*

HabaQUq-mon-sEuL-tenfant s'est tout désabrillé tandis que je flacottais, clafottais et glapottais en mon moi-même dedans la baignoire — c'est à cause que mon cher cefils sort toujours mal des bras de la mORte fLille : quand se perdent les effets de la médicamentation pour son ensommeillement, vaut mieux que je soye dans les parages, sinon la peur fait son chemin entre couvertes et draps, d'abord par titressaillements de bras et de jambes, puis ça devient vite soubresautant par à-coups dans les nerfs que le réveil retricote si serré que ça revole, jeu incontrôlable de mains et de piépiés, en chacun s'y établissant la danse du saintguy, si violemment que ça me prend tout mon tichange pour que ça s'apaise — tant pisse pour les blœufs que je me retrouve toujours décorée avec ! — j'en ai les tetons marbrés comme les colonnes de l'église notRe-neige-des-dAMES, les flancs itou, et mes bras je les repasse sous silence tellement c'est couleuré sombre à force de subir autant d'empoigne-mains et de serrages de visses — mais comment pourrais-je en vouloir à habaQUq-mon-sEuL-tenfant de me coquer, foquer et poquer ainsi la corporation étant donné que la faute en revient au forceps mal appliqué qui lui a compressé la matière grise, la rendant inserviable, sinon par secousses siesmiques, tsunamis et ouragans de magnitude sept sur l'échelle de saint-guy ? — donne au césar l'AUGustE ce qui appartient à sa césarité et fais ce que dois sans essayer de passer par le bas-côté pour affronter, bien que très chère, la vréalité ! — m'y enlivrer sans arrière-pensée ni forfranterie, car dans l'ainsi s'amenuise la souffrance et tombent les vents mauvais soufflés par compression de la matière grise sous la caboche d'habaQUq-mon-sEuL-tenfant, gloire soit au plaire, au fil et au simple d'esprit qui ont si tant généreusement pris soin de lui pendant la longue nuitte : il s'est pas mordu la langue une seule fois, il s'est pas deviré par dedans le piépié gauche, il s'est pas déboîté la flanche comme ça lui arrive quand la médication, plutôt que de se rendre jusqu'à sa matière grise, prend le chemin de l'enclume et du marteau, par coups redoublés, et si mal sonore c'est qu'habaQUq-mon-sEuL-tenfant en mugit d'épouvante, en rugit de douleur, en surgit enperlé de sa cave à son grenier, ses longs bras glorillieux m'enserrant fort : « Mouman ! Mouman ! Ah Mouman ! » —

ME SIDÈRENT TOUJOURS LES YEUX D'HAbaQUq-mon-sEuL-tenfant quand je m'emmène auprès de lui, si exorbités ils m'apparaissent, comme si son corps se réfugiait dedans, alarmé et enlarmant : et cette bebouche, si grandement ouverte, qui démontre une langue disproportionnée, large et épaisse comme une main d'homme, toute picotée de boutons couleurés rouge sombre (parce qu'habaQUq-mon-sEuL-tenfant liche trop souvent les ridelles de son litte, une manie que c'est pas possible de la lui faire passer même si j'ai tout essayé pour : j'ai enduit les ridelles de sauce TabASco, je les ai onguentées de sapinFORTin, de jus de piment fort, de moutarde de dIjON, de gousses d'ail passées au blendeur, ça a toujours été sans résultat aucun contre une pareille grosse langue — « comment c'est c'est qu'il va mon tinange à matin ? » que je demande à habaQUq-mon-sEuL-tenfant en lui faisant amourette dessus son front bombé comme une lune en son recours — il me répond pas, en tout cas pas de la manière que le font les tenfants que le forceps était ailleurs quand c'est adviendu au monde, par gazouillis, roucoulages et bruissements joyeux du boutte de la langue : faut oublier ça avec habaQUq-mon-sEuL-tenfant à cause que ses cordes vocales se coordonnent mal dans leur ensemble — à part « Mouman ! Mouman ! Ah Mouman ! » que je suis de toute façon la seule à entendre entre deux quintes de redoux, habaQUq-mon-sEuL-tenfant est pas guiré en sa jarnigoine pour me faire guiliguilis autrement que par mimeries, gestitudes, ventrilocations et babouneries de ses muscles faciaux et fessieux, la vérité vraie étant que ça fonctionne mieux pour lui par le bas que par le haut — comme me l'a appris le docteur PETigroulx, si on reste pour ainsi dire toujours affalé dans son litte, ça favorise la lâcheté des intestineries : y en sort de toi autant que tu t'en enfournes dedans et c'est toujours accompagné de vents très nauséabondants que le cœur te lève malgré tout l'entraînement que tu t'es donné pour y faire face sans troncher — certains matins sont toutefois pires que d'autres et l'icelui d'aujourd'hui m'en fait senteuse affirmation dès que le drap désentortillé, je le ramène d'un coup sec aux piépiés d'habaQUq-mon-sEuL-tenfant — misère en l'endos du pauvre monde ! — il s'est beurré brun sale pis pas dans l'à peu près, le cher cefils ! — il chie que c'en est quasiment décourageant à voir, un tas aussi gros que si aBsalon-mOn-gArçon faisait coucher dans notre chambre l'un de ses grands bœufs d'exposition qui se relâchent de leurs intestinetés par bouses si énormes que ça prend pas beaucoup de pelletées pour engraisser le potager d'un point cardinal aux autres ! — heureusement que j'ai toujours dans la poche de ma robe à tipois verts une épingle à linge que je peux me pincer le nez avec parce qu'autrement, je sais pas comment je ferais pour résister à autant de puanteur — tant pis pour le nasillement que l'épingle à linge me force à parler avec : tu fais ce que tu peux et comme tu le peux quand tu vris dans la simplicité volontaire ! — « Mouman ! Mouman ! Ah Mouman ! » —

DES FOIS, ÇA ME TAPE FORT DESSUS LES nerfs qu'habaQUq-mon-sEuL-tenfant soye aussi démuni question vocabulaire et ponctuation même si j'ai passé des heures, des jours, des semaines, des mois et des ans à essayer de l'enrichir : « dis poupa, dis lolo, dis lélé, dis a vu ceci ou ben a vu ceça, dis, mon cher cefils ! Envouèwe donc, fais-lé pour Mouman, juste une fois ! Dis poupa, poupa, ah mon poupa ! » — de la grosse peine perdue : ça poigne le fixe sur tes lippes, ça regarde juste elles, on dirait que ça va s'y suspendre toute la journée comme sur une corde à linge, et ça en reste là, avec rien d'autre que de la bave qui s'écroule comme d'un culte de poule de la bebouche au menton — que voulez-vous : quand c'est né avec un timoteur entre les deux areilles, tu peux pas brancher deux cents ampères là-dessus, tu fais simplement ce que tu fais et tu le fais vitement, t'enveloppes le cher cefils dans le drap souillé, tu noues ça de chaque bord des flanches comme si c'était une couche, puis tu te cantes comme y faut, puis tu tires vers toi habaQUq-mon-sEuL-tenfant, puis tu attends que ça soye bien agrippé à l'enclavure de ta flanche, puis tu prends le plusse d'air que tu peux en tes poumons, puis tu donnes un grand coup de collier pour que ça puisse s'ébranler enfin vers la cuisine et la pleineté du jour —

AVANT, IL Y AVAIT DEUX CUISINES DANS LA cuisine, une chambre et un bas-côté qui faisait fonction de caveau à légumes et d'entrepôt à liqueurs — c'est resté tel que tel tant qu'habaQUq-mon-sEuL-tenfant a été bebé et que je pouvais passer avec lui dans les portes sans nous cogner en ceci ou en cela dessus les embrasures : quand les jambes sont deviendues trop longues et que les bras ont fait pareil, j'ai pris la hache, le pince-monseigneur et le marteau, j'ai abattu les cloisons, faisant ainsi disparaître la cuisine en trop, la chambre et le bas-côté, j'ai lambrissé à neuf les murs en planches embouvetées de cèdre et j'ai organisé l'espace ainsi libéré pour que je puisse toujours garder un quenœil sur habaQUq-mon-sEuL-tenfant tandis que je vaque aux travaux domestiques, boulange mes croissants, mes pains-fesses et mes gâteaux des anges — et si j'ai plus rien qui me force à varnousser dans la cuisine agrandie, je m'assois dans ce fauteuil que j'ai simplement à actionner la titemanette implantée dans son côté pour qu'il tourne sur lui-même, me donnant par le regard accès à tout l'espace — le fauteuil qui girouettise est une invention d'aBsalon-mOn-gArçon qui est une patenteux pas ordinaire quand du bord de ses grands bœufs d'exposition, le soignage et l'étrillage se présentent comme un fait accompli, quantifiable parce que graintifié — lorsque c'est ainsi tout tiguidou paquesac en chacune de ses parties, aBsalon-mOn-gArçon peut revenir à la meson che nous, sortir du placard son coffre à outils d'inventeur, s'assire à la table et dessiner dessus papier veaulin et chapon toutes les visionnaires découvertes qui lui passent par le mythant de la tête, les ingénieuses comme les désingénieuses, car pourquoi regarder à la dépense quand on est aussi bien nanti en images et notions, qu'on est capable, par tidessins lapidement esquissés, de réinventer la roue dentelée, le bouton à quatre vrous, la brisse à tête étoilante, le marteau à trois entêtes superposées, l'aterracheuse de patates qui les lave en même temps qu'elle les sort des sillons et la moissonneuse qui fait pas que débattre avec le grain, mais le scrible aussi et l'enduit de farine fin prête à être boulangée — il y a pas de boutte dans le talent dont aBsalon-mOn-gArçon fait preuve dedans son vouloir de changer le monde même s'il y arrive toujours avec un peu de retard par rapport à ce que les autres patenteux, partout dans le vaste monde, ont déjà inventé — que de fois aBsalon-mOn-gArçon a fait voyagerie jusqu'à méTROPpolisse afin d'y faire breveter ses interventions au bureau des patentes, mais sans que ça vaille jamais la peine de se rendre aussi loin : quand tu restes dans un boutte de rang, que t'as même pas un certificat de fréquentation de l'école primaire et que tu sens à plein nez le gros bœuf d'exposition, tes chances sont nulles du côté du bureau des patentes, et d'autant plusse si tu parles pas l'anglais parce que dans ce bureau-là des patentes, le CACAnada blédingue est passé date depuis longtemps, de quoi comprendre qu'aBsalon-mOn-gArçon en revienne toujours un peu plusse paranoïaque qu'à son départ de la meson che nous, ce qui le pousse chaque fois à acheter une carte de membre du parti quebécois même s'il en a déjà une bonne douzaine dans son portefeuille en cuir patin et qu'il se sert ni des unes ni des autres, étant bien entendu qu'il sort rarement de notre boutte de rang le jour des élections, et surtout pas pour aller voter : « tous des écœurants, des mange-marde, des crosseurs, des violeurs de constante et des fefis ! » que dit aBsalon-mOn-gArçon de ceux-là qui nous mènent et nous malmènent en parlementerie au nom de la démocrassie et du vent pire par che nous que n'importe où par ailleurs —

DEVANT LA FENÊTRE, J'AI MIS EN SON NOUveau litte habaQUq-mon-sEuL-tenfant — à mal dire le vrai, ce litte-là est pas tout à fait un litte : s'agit d'une ancienne civière d'hôpital trafiquée en couchettelézzyboyàbascule — j'ai qu'à ouvrir la switche, qu'à peser sur l'un ou l'autre des boutons de la télécommande et la civière améliorée devient un litte, un fauteuil ou une chaise roulante — au-dessus, suspendus au plafond par un complexe système de poulies, de poids et de contrepoids, deux bras canayens munis de sangles me permettent de soulever le cher cefils, ce qui me donne toute aptitude pour changer sans trop de désagrément la litterie — des fois, ça arrive que les bras canadiens lâchent, mais comme le matelas est pneumatique, ça a pas de graves conséquences, habaQUq-mon-sEuL-tenfant se fait pas mal et moi non plus, ce qui est appréciable quand je pense à comment c'était avant : ça me prenait deux couchettes dans la cuisine, la première pour que mon cher cefils y prenne la plupart du temps ses aises, et la deuxième fort utile après une chaude pisse ou une grosse chierie, bien chanceuse je me trouvais si les deux se présentaient pas en même temps — je devais transporter le cher cefils d'un litte à l'autre avant de pouvoir nettoyer les dégâts et, chemin faisant, je me crottais autant qu'habaQUq-mon-sEuL-tenfant l'était — je passais plusse de temps à me désouiller que pour toute autre besogne dans la meson et ça me stressait pas juste un peu : une fois que t'as les mains dans la farine, que tu pétris de la pâte ou que tu la moules en croissants, pains-fesses et gâteaux des anges, c'est pas le temps de tout laisser là sur la huche pour aller nettoyer un quequn qui s'est emmardé de la piétaille à la cabocherie — tout à coup qu'il t'en resterait un peu dessous les ongles ou bien après ton tablier et que ça se mêlerait à la pâte pour en changer la couleur et les odeurs ! — fièrepette comme que je le suis, si proprette dans mon moi-même autant que dans ma mesonnette, j'en chavirerais ben raide et j'en serais enfermable pour le restant de mes jours et de mes nuittes ! — « Tinange, laisse Mouman te nettoyer comme y faut, a va te faire brisette, frisette, grisette, prisette et risette après, mais là c'est pas le momentoume pour, t'es salisalopé comme un ticochon d'ingres qui aurait fait mille milles sur les coudes dans la bouette avant de rentrer dans la soue che eux ! » — quand je le passe ainsi à l'éponge savonneuse, habaQUq-mon-sEuL-tenfant aime ben ça que je lui parle — s'il comprend rien de ce que je lui dis même si je me force pour lui mâchonner le plusse de mots bebés possible, il est sensible au rythme que je leur donne, il a l'air de voir ça comme si c'était de la musique, il y prend intérêt, ses yeux fixés sur mes lippes et ses areilles en portes de grange toutes ouvertes : « Tinange ! Tinange ! Prends le potte, va chier dewouâre ! » — dans la vraie chanson, je sais bien que c'est un toréador qu'on invite à aller voir dehors s'il s'y trouve, mais que voulez-vous : aBsalon-mOn-gArçon me casse assez les areilles avec ses taures, vaches et grands bœufs d'exposition que le moins que ça se mentionne par ailleurs, le plusse j'en rends grasse reconnaissance aux dieux tout-puissants, aux saints, aux anges, archanges, acolytes, thuriféraires, ligueurs du SACré-chœur et tédéums et allélouihahah ! —

QUAND HABAQUQ-MON-SEUL-TENFANT EST pour ainsi dire aussi reluisant qu'un sou neuf, je saupoudre dessus son corps du bebézone par mesure préventive contre les plaies de litte parce que veuveupas, c'est là un danger qui le guette incessamment : rester allongé tout le temps, faire pepi et queca sous son soi-même, ça prédispose à l'échauffaison qui, elle-même, irrite tellement la peau de fesse que ça devient invitant pour les gerçures, crevasses, grottes et cratères de s'y tailler profondes bavettes — « Mouman ! Mouman ! Ah Mouman ! » — il a peut-être pas beaucoup de matière grise le cher cefils, mais il sait bien qu'une fois sa toilette faite, je vais lui donner à manger — et manger, c'est ce mot-là qu'habaQUq-mon-sEuL-tenfant aurait toujours à la bebouche s'il était en mesure de s'y livrer tellement il a de l'appétit : on pourra jamais médire de lui qu'il a les yeux plus grands que la panse parce que ça serait menterie hors de tout doute raisonnable, et j'en veux pour preuve le repas que je suis en train de lui préparer : une platée d'œufs brouillés cuits dans du gras de jambon, avec garniture d'areilles de ChRISt sur fond de fromage heRitAGE et de baloné fait meson, le tout bordé par un chapelet de tipains à l'ail aux olives noires, et beurré épais de cretons, tête fromagée, graisse de rôti et rillettes au parmesan paysan — je sais ben qu'habaQUq-mon-sEuL-tenfant pourrait manger plusse macrobiotique, du genre carrés de tofu à la luzerne décorés de tipois verts, de raisins de corinne et de lamelles de pleurotes en frisette, mais j'y peux rien si cette nourriture-là lui dit vraiment rien d'un rien — et c'est pas faute d'avoir essayé de lui en faire manger, à la tite et à la grande cuiller (habaQUq-mon-sEuL-tenfant utilise jamais la fourchette à cause que ses mouvements de bras glorillieux sont trop désordonnés, qu'il pourrait se percluser une joue ou ben se grever d'un quenœil si, par contretemps, la danse de saint-guy lui jouait le mauvais tour de la mouche du croche) — je devrais sans doute pas l'avouer, mais je trouve ça beau un quequn qui mange avec je dirais si peu d'arrière-pansée, comme si tout son corps était deviendu juste une bebouche grandement ouverte sur les plaisirs primiterres de la vie — aussi, je reste là, tout près et toute prête, serviette à la main pour essuyer le trop-plein de nourriture que le cher cefils peut pas envaler d'un seul coup ou qu'il aspire en goinfrant sans mastiquer suffisamment, ce qui le porte et force à roter fort — et le rote, comme on sait, est là pour qu'on expulse tempestivement l'air qu'on a de trop dans l'estomac et le tube qui l'y bien conduit —

APRÈS LE BABILLAGE, LE TOILETTAGE ET LA mangeaille, voici advenu le temps de l'habillage — ce que porte habaQUq-mon-sEuLtenfant varie peu d'une journée à l'autre : une couche en attaches de velcro pour que ça aille plus vite si, sans prévenir personne, le cher cefils fait dedans sa culottée, une blouse sans manches parce que sinon il en reste plus guère quand le soir arrive, un pantalon qui a des semblants de poches, renforcées de cuir cousu en croisées, pour éviter que le cher cefils s'enfonce les mains dedans, les perce et se mette à jouer avec sa blaguette magicieuse : habaQUq-mon-sEuL-tenfant a peut-être pas beaucoup de jarnigoine, mais du bord du sexuel c'est greyé pas ordinaire, et ça c'est malgré le fait qu'il vient tout juste de célébrer ses douze ans ! — un membre aussi viril quand t'auras jamais l'occasion de t'en servir, ça a queque chose de profondément injuste, et sans doute habaQUq-mon-sEuL-tenfant le presse et le pressent-il, car dès qu'il en a la chance, il empoigne sa blaguette magicieuse et se branle même s'il est trop jeune encore pour que son créateur lui mousse rapidement dedans la main — moi, j'en passerais pas remarque, sinon pour dire et me convaincre que toute souffrance doit avoir consolation et que si mon pauvre tinange la trouve là plutôt qu'ailleurs, j'ai rien à renoter à ce propos-ci : on a tous besoin d'entretenir ses tiplaisirs, surtout quand ils sont du genre inusables, tel c'est le cas pour habaQUq-mon-sEuL-tenfant lorsqu'il s'éjouit d'une rapide crossette entre trois « Mouman ! Mouman ! Ah Mouman ! » — sauf qu'aBsalon-mOn-gArçon est pas du même avis que moi, peut-être parce que son sexuel est à peine plus long que celui du cher cefils, qu'il raidit parfois moins vite que lui et moins longtemps : du bord de leur membrence, les hommes sont tous pareils, certains qu'ils sont d'avoir la plusse grosse et la plusse vaillante des blaguette magicieuses, surtout par-devers leur progéniture, et rien que de se figurer que ça pourrait être dans l'autrement, les voilà tusuite à deux branles du grand désenchantement, débandés de leur pompe à estime, avec plus rien que deux gorlots qui leur font mal en fond du paroissien à s'en manger par en dedans les badingoinces, bajoues et letchétérat ! —

AUSSITÔT QU'HABAQUQ-MON-SEUL-TENFANT a fait bonne et grosse ripaille, il tombe comme qu'on pourrait dire en état de catalepsie, catatonie, catophonie — ça en prend de l'énergie pour que les sucs gastriques puissent opérer à fond dans la palette de l'estomac avant que le foie fasse suite, puis le long et le grêle, puis les sphinxters que les hémorrouites se sont pas encore agglutinées après — d'un côté et de l'autre, balle sur les oreillers la tête du cher cefils tandis qu'il garde les yeux fermés, mais laisse entrouverte la bebouche : même tout ensomnolencé, habaQUq-mon-sEuL-tenfant produit de la salive en si grande abondance qu'il s'étoufferait avec si ça se mettait pas à rigoler aux commissaires de ses lippes — je vais passer l'éponge là-dessus, puis faire effleurement de la main sur le haut du corps si occupé à disgresser, question de me rassurer par rapport à comment c'est c'est que bat le cœur : habaQUq-mon-sEuL-tenfant a tendance à faire de la taquinecardie quand ça devient laboratoireux du bord de sa disgression — son cœur s'envalve, même du fond de la cuisine je l'entends cogner à grands coups, et tout désordonné c'est, comme un moteur V-8 auquel il manquerait deux pistonnes — ma main sur la poitrine du cher cefils, j'écoute — ça bat là-dedans aussi ben qu'un chœur d'athlètes au repos, même pas quarante-quatre battements à la minute, du lAnCE amSTRONG tout pédalant comme le prétend aBsalon-mOn-gArçon : « si notre tenfant avait mieux naissu, ses jambes seraient les celles d'un matarhonien, pis même dans un tour de frANce, personne lui arait été à la cheville, ça c'est aussi sûrement que son cœur est bâti pour porter l'épopée sous forme de chandail jaune en chant d'éLIsEtte! » — moi, je me contenterais avec moins, je me contenterais d'un beau gros garçon ben ordinaire, même pas finfinaud, même pas inventeur ou quoi que ce soit d'autre en brillance de tête : du moment que les jambes seraient juste assez bonnes pour que ça déambule sans croches ni anicroches, je serais dans le parfaitement comblée, pour ainsi dire au septième ciel de ma maternitude —

LE TAON BOURDONNE, MAIS L'ABEILLE BEsogne, la guêpe butine, le frelon bougonne, ce qui revient à dire qu'il est temps pour moi de laisser disgresser habaQUq-mon-sEuL-tenfant : en soubassement de la meson che nous, faut maintenant que je m'y rende même si j'aimerais mieux pas — j'ai toujours détesté m'ensombrer aussi profond et c'était déjà de même dans ma titenfance : dès l'escalier tout chambranlant dans son manche descendu, je me retrouvais les deux piépiés dans un pigras terrible, la tuyauterie faisant défaut et glouttant gloutte à gloutte une eau soufreteuse qui sentait ce que sent tout ce qui se décompose, de quoi me faire accrère en mon moi-même que mon défunt père avait raison de m'épeurer en prétendant que des bêtes diluformes peuplaient la cave, qu'elles avaient plein de bras et de jambes en trop, des yeux rouges comme braises de charbon, des boulons et des goujoncs au milieu du front et de longues queues équeureuses qui étaient aussi coupantes que des lames de rasoir — quand il fallait que j'y vienne chercher une brassée de croûtes, une chaudiérée de patates ou une botte de ramollissantes carottes, le sang me glaçait dedans les veines tellement j'étais intimidifiée et apeurisée, surtout si les batteries de ma lampe de poche profitaient de mon ébarouissement pour rendre l'arme à gauche, ce qui, fort étranglément, arrivait aussitôt que j'avais les deux piépiés enfoncés dans la bouette (je soupçonnais mon défunt père de trafiquer les batteries de ma lampe de poche toutes les fois qu'il m'envoyait dans la cave, un tisourire pas fin pantoute accroché à ses lippes comme preuve confessable de sa fort mauvaise foi) — pour faire par excipiès, la corde de croûtes, le carré à patates et le bac aux légumes étaient au fin boutte du soubassement :

pour m'y rendre, je devais passer au travers d'un amas de boîtes de cartron toutes déconcrissées et si mal empilées que j'avais peur qu'elles me tombent dessus le dos ou que profitant du fait que je serais en train de désensabler les patates, elles s'arrangent entre elles pour me faire barrage dans le passage — et j'aurais eu l'air fin avec mes croûtes, mes patates et mes carottes, avec même plus de lumière dans ma lampe de poche pour me tirer d'un pareil trou noir que se préparaient à envahir de toutes parts les affreuses, difformes et sales bêtes qui peuplaient la cave ! — en ma titenfance, je pouvais ben pisser au litte et faire des couchemorts que je souhaiterais même pas à mes pires zennemies si j'en avais ! —

SI LA CAVE EST TOUJOURS SUR FOND DE TERRE comme dans l'ancien temps, la tuyauterie a été radoubée, les fuites colmatées, le carré à patates et le bac à légumes désensablés, les boîtes de cartron déchiquettées et mises à brûler, des ampoules électriques installées en bord de poutrelles, les murs isolés avec de l'écorce de bouleau trempée dans de la sève d'érable bouillante (une autre découverte d'aBsalon-mOn-gArçon), qui constitue à son dire un grand avènement écologique, puisque contrairement à la fibre d'amiante ou à la mousse d'uréthane, l'écorce de bouleau et la sève d'érable dégagent pas d'émanations délétères, du genre à vous faire saigner le nez, à vous donner l'asthme ou à vous engorgifier le foie — autre avantage encore de l'écorce de bouleau et de la sève d'érable : bien appliqués sur les cloisons, c'est aussi agréable à regarder que du papier teint, toutes sortes de motifs se laissant voir dedans, en forme de titoiseaux, de fleurs fleurifleurantes, de pouessons, comme dans l'infini ça se répète, par plexes, duplexes et complexes entrelacements, pareil à ce qu'on voit quand on courtepointe de la guénille multicouleurée — autrement dit, le soubassement de la meson che nous est deviendu un lieu fort agréable à fréquenter, en tout cas quand on y trouve pas de tipoulets comme c'est malheureusement le cas dans le moment présent, toujours à cause du génie dont fait preuve aBsalon-mOn-gArçon comme inventeur : il a trouvé une nouvelle façon de faire couver des œufs quand tu possèdes pas de poules pour mettre dessus dans les nids — je peux pas vraiment décrire comment c'est, sauf que ça a queque chose d'impressionnantissime : essayez d'imaginer une sorte de volatile qui aurait la corporation couverte de laine de moutonne plutôt que de plumes, et dans laquelle corporation tourne un timoteur qui produit juste assez d'électricité pour que les œufs bénéficient durant vingt-et-un jours de la même chaleur, et vous aurez une bonne idée de la couveuse révolutionnaire telle que patentée par aBsalon-mOn-gArçon — le problème, c'est qu'il y a plus grand-monde que ça intéresse de faire couver des œufs rien que pour le plaisir de les voir se changer en tipoulets, et voilà pourquoi aBsalon-mOn-gArçon a acheté une autre carte de membre du parti quebecois fefi en revenant bredouille comme grandouille du bureau des patentes au royaume du GérAnIum tremblant — et voilà pourquoi je dois aussi venir régulièrement dans le soubassement pour que manquent pas d'eau ni de graines la centaine de tipoulets qui y sont nés — une pareille assemblée de volatiles, ça pue énormément, ben plusse que les bouses chiées par les grands bœufs d'exposition d'aBsalon-mOn-gArçon ou celles étronées par le cher cefils : si j'assujettissais pas comme il faut sur mon brandénose l'épingle à linge que je garde toujours dans la poche de ma robe à tipois verts, les odeurs démoniaques me retrousseraient la capine du mauvais bord et je tomberais comme seul pan de mur parmi les détritusses, les tipoulets vivants et ceux qui sont morts (parce qu'il s'en défuntise toutes les nuittes selon la loi générale qui veut qu'un tipoulet ça a pas beaucoup de tête : au risque de se piétiner les uns les autres, ça l'aime ça s'agglutiner, s'amalgamer, s'entassetouister, et ça l'aime ça aussi le rester, de sorte qu'il en tombe beaucoup au champ du déshonneur, de pauvres titebêtes que je retrouve aplaties comme crêpes toutes les fois que je descends dans la cave pour leur donner boire, manger et sépulcreture) —

D'UN TIMATIN À L'AUTRE, J'AI DE LA MISÈRE à m'y reconnaître : des tipoulets ça grossit tellement vite que t'as qu'à passer queques heures loin d'eux autres pour plus les reconnaître quand tu te ramènes la corpulence dans le soubassement — t'as beau chercher parmi la centaine qui s'esbaudissent les ceusses que tu préfères, t'en es quitte pour ta peine, tu mets rarement la main dessus le bon — c'est pas pour rien que les tipoulets ont le duvet jaune lasiatique parce que selon aBsalon-mOn-gArçon, le premier œuf à avoir jamais été pondu par une poule était chinois — c'est donc pas pour rien non plus si la grippe aviaire vient de par ce pays-là, en retour de pendule comme le prétend encore aBsalon-mOn-gArçon : faut dire que ça en prend de la volatile pour nourrir un milliard et queques centaines d'autres millions de personnes, qui vivent entassés comme des ticoqs à chair dans des villes que je mettrais même pas dedans le boutte du pié-pié gauche tellement la vermine doit y pulluler — quand t'organises des battues natioanales pour éliminer les gras rats d'eau, les sarcelles, les mainates, les hirondelles, les corneilles, les rossignoleux et les moineaux, c'est que le sanitaire ressemble à un vieux kotex plein de menstrues que t'as jeté dans un fond de cour plutôt que de le mettre dans le corps des vidanges, et je sais de quoi je parle parce que la propreté c'est pas les tipoulets qui en ont inventé les règles : ça pigrasse et ça cochonne tout, ça fait leurs besoins dans les abreuvoirs et les mangeoires, ça les renverse et ça patauge dedans :

le plusse c'est sale dessous et autour d'eux, le plusse ça pépiaille de contentement — pas de la titejobine ordinaire que de faire ménage là-dedans et j'avoue que s'il m'arrive peu souvent de m'écœurer à m'y livrer par ailleurs, ça me tombe aussitôt comme une tonne de briques sur le dos d'un quadrupède dès que je mets les piépiés dans la litière des tipoulets — je crois même que c'est la dernière fois ce matin que je descends aussi creux dans pareille souillonnerie : quand aBsalon-mOn-gArçon va rentrer à la meson che nous pour le dîner, je vais lui dire que ses tipoulets et moi c'est dans l'attrait fini d'en par icitte et d'en par là — de toute façon, ils sont assez gros maintenant pour qu'on en fasse du barbicouite, de l'envol-au-vent ou ben de la soupe aux vermidailes, et ça serait là aussi une bonne occasion pour aBsalon-mOn-gArçon d'expérimenter l'invention sur laquelle il a travaillé tout ce printemps dernier : une guillotine-ébouillanteuse-plumeuse-éviscéreuse de volatiles, les quatre opérations se faisant pour ainsi dire simultanément et en moins de temps qu'il en faut pour lâcher un pet et en sentir l'œuf pourri qui s'en écroule ! —

QUAND TOUT EST PROPRE, FAUT SAVOIR EN profiter parce que ça restera pas longtemps dans cet ainsi-là — dans le bran de scie et la grainaille de foin que j'ai épandus tout partout dans le soubassement, les tipoulets se font aller la falle, le jabot et le tibec sucré, picorant de par icitte de par là-bas, leurs papattes comme piochons là où c'est c'est que le bran de scie et la grainaille de foin font une couche plusse épaisse — faut les voir aller les tipoulets quand ça déniche un restant de queque chose à béquer bobo, cropule de bois en forme de lumette ou brindille de paille en forme de sucette — ça se met à courir n'importe comment, en rond ou de côté, la cropule ou la brindille dans le tibec comme si c'était là ver de terre, géante araignée ou mouche à patate : tous les autres tipoulets qui essaient de s'approprier le bien de l'autrui, au plus fort le boche, la hoche, la roche et la poche, au plus belliqueux le triomphe en ce plusse meilleur pays aviaire au monde ! — des fois, je me croirais assise devant la television quand elle nous montre des images de grandes villes comme vancouVER, liVERpool, VERacruz ou VERdun lorsque le monde sort de che eux pour aller besogner: on dirait ben que ça court aussi dans n'importe quoi et dans n'importe le comment, cropule ou brindille entre les lippes, et cette peur araisonnable qu'on pourrait vous l'enlever avant que le facteur ait le temps de sonner deux fois à votre portée — moi les tipoulets, je trouve que c'est une grande leçon d'humbleté : pendant un mois, on devrait montrer que ça à la television, pour que tout le monde comprenne qu'il y a pas beaucoup de différence entre eux autres eux et nous autres nous, si titetêtes nous avons tous, à croire que le bonheur est dans le pré du ouasin et que ce pré-là mérite qu'on s'entretue pour ! —

ASSEZ DE PENSÉE VOLATILE POUR CE JOUR d'hui ! — je vais donc laisser là les tipoulets, remonter l'escalier, tirer la porte et me retrouver dans la cuisine che nous — je me dépince le nez de l'épingle à linge que j'y avais assujettie et je respire un grand scoup, ma peur étant que les odeurs des tipoulets aient trouvé le moyen de m'accompagner, voire de me précéder — quelle catastrophe ça serait pour mes croissants, pains-fesses et gâteaux des anges ! — aussi j'inspire fort et désinspire pareillement, cherchant dans le fond de l'air quelconque émanation démoniaquement ammoniaquée, signe que les tipoulets se préparent à la grande invasion et que tantôt on pourrait bien avoir sur le dos les inspecteurs de la soCIéTÉ protectrice de l'anima — même s'ils sont tous fefis pequistes, du moins entre deux électrions, je crains fort qu'ils pourraient rester insensibles aux nombreuses cartes du parti qu'aBsalon-mOn-gArçon leur mettrait volontiers dans la face : avec des fefis pequistes, les symboles suffisent prout et peu, il faut savoir présenter comme il faut le pain-fesse et le beurre à mettre dedans la craque — du moins est-ce là l'opinionne d'aBsalon-mOn-gArçon qui en connaît un méchant boutte sur les histoires de fefis pequistes ou en voie parlementable de le deviendre —

HABAQUQ-MON-SEUL-TENFANT ATTENDAIT juste que j'aye fini de calfeutrer le bas de la porte qui mène au soubassement pour me faire assavoir que j'ai été longtemps partie et qu'il m'en veut de l'avoir abandonné — c'est du moins ce qu'il cherche à me faire entendre en gesticulant, ses longs bras glorillieux fendant l'air de bord et d'autre — « Mouman ! Mouman ! Ah Mouman ! » — si je m'approche trop près de lui, une de ses grandes mains va m'empoigner et je vais être obligée pour un sapré moment de me morfondre en sales malecs avant de pouvoir vaquer à mes obligations domestiques — je lorgne donc du côté de la grande armoire à jouets et en ouvre le panneau à pentures : là-dedans, c'est plein de toutes sortes de bebelles, bretelles, bricoles, blœufs de pâques et broutilles diversifiantes qu'aBsalon-mOn-gArçon a achetés pour le cher cefils jusqu'à l'an passé quand il s'est enfin rendu à l'évidence : habaQUq-mon-sEuL-tenfant fera jamais la différence entre un camion FishER-presse et un simple boutte de bois qui a des nœuds gardiens dedans : pour lui, c'est tout du pareil dans son même et c'est juste bon à se mettre dans la bebouche, en serrant si fort les mâchoires que le risque est grand de se briser les dents dessus — aussi les jouets restent-ils désormais empilés dans la grande armoire, la plupart dans leur boîte d'emballement d'origine, et c'est là queque chose de si déprimant pour aBsalon-mOn-gArçon que la moindre allusion à la grande armoire et à ce qu'elle renferme lui embrase le méchant caractère qu'il a quand on le fait sortir de ses gongs — moi, je prends l'affaire par son moins pire parce que je suis têtue et que j'ai pour mon dire qu'il y a toujours moyen de moyenner même si la réalité est sombre comme par ciel d'outrage : des fois, ça prend presque rien pour que les choses changent, tel un simplette livre lu au bon moment dans sa vie, qu'on aurait même pas jeté un coup de quenœil dedans la veille tellement ça avait rien à nous dire — et voilà qu'à matin on y entre comme un couteau dans du beurremou et qu'on y trouve presque miraculeusement son fond de penouil : même si je peux guère me considérer comme une grande lecteuse, j'aguis pas de temps en temps m'acheter un roman qui a beaucoup de pages, à la BeaUCHEmine, à la labERGerie ou à l'enbROUILLEtte, parce que ça dure longtemps, que t'as pas besoin d'un dictionnaire pour savoir c'est quoi le sens des mots qu'on trouve dedans, tu peux lire queques pages, puis t'occuper de ta besogne avant d'en revenir, l'histoire courant moins vite que ton empressement ménager, de sorte qu'il y a peu de risques qu'elle te dépasse jamais même si tu sautes par ci par là un paragraphe, quelle importance dans le fin fond de la boîte à bois quand c'est c'est que t'as pas besoin d'aller à la television pour en déparler ? — encore le dévidoir de mes pensées volatiles ! — j'ai pourtant ouvert le panneau à pentures de la grande armoire à jouets dans un dessein autrement moins callégorique, puisque je veux simplement y prendre ce livre d'images pour le donner à habaQUq-mon-sEuL-tenfant : un mot par page, avec une illustration qui en fait la démonstration en couleurs vives pour que ça se remémore plus facilement — en fait, si les couleurs l'ont déjà été si vives, c'est plus le cas maintenant parce que le cher cefils les a passablement défraîchies en mordant dedans ou en les lichant ardemment de son aventureuse langue — il y a toutes sortes de façons de dévorer un livre, c'est entendu, mais au rythme qu'habaQUq-mon-sEuL-tenfant s'y employait, j'aurais vite boulangé sans guère de profits mes croissants, mes pains-fesses et mes gâteaux des anges — heureusement que le génie d'inventeur d'aBsalon-mOn-gArçon a su parer à la menace : il a recouvert les pages du livre d'images d'une fine couche de fibre de verre, a percé un trou dans chacune d'elles, y a passé l'un de ces anneaux cuivrés qu'il met dans le mufle de ses grands bœufs d'exposition, y a ajouté une chaîne munie à son extrémité d'un crochet de sécurité qu'il a fixé par ailleurs à l'une des ridelles du litte d'habaQUq-mon-sEuL-tenfant, après quoi il lui a tapoté la tête et lui a dit : « essaye juste pour voir si tu peux encore manger tes livres, mon tiyiabe d'aguissable de titenfant ! » — évidemment que le cher cefils pouvait plus s'y enlivrer, même en lichant fort comme font les grands bœufs d'exposition quand on met dans leur pacage un gros cube de sel iodé parce que frappe sec la carnicule, même en mordant rageusement dedans une page ou dedans l'autre, puisque la fibre de verre est sans pitié pour un quequn que gruge l'envie de gruger son morse —

DANS LE LIVRE D'IMAGES QUE J'AI MIS SOUS le nez d'habaQUq-mon-sEuL-tenfant, il y a pas vraiment d'histoire, on y voit simplement un gros tipoulette déjà tout habillé qui sort d'un blœuf, saute en bas du nid où c'est c'est qu'il a été couvé, couvré et découvré, puis se pourmène autour du poulailler en picorant tout ce que son bec rencontre dessus son chemin : un ver de terre, une graine de tournesol, un boutte trognonné de chou, un détritusse de blé d'ingres, une fleur de pissenlitte, un caillou-genou-hibou, un craillon-grenouille-guibou — habaQUq-mon-sEuL-tenfant regarde, mais je peux pas jurer qu'il voit la même chose que moi étant donné que si je mets le doigt sur une image en disant coq, ver de terre, graine de tournesol, boutte trognonné de chou, détritusse de blé d'ingres, fleur de pissenlitte, caillou-genou-hibou ou craillon-grenouille-guibou, ce que j'obtiens en retour d'ascenseur est tout autre et fort limitatif : « Mouman ! Mouman ! Ah Mouman ! » —

TANDIS QUE LE CHER CEFILS JOUE AINSI AVEC son livre d'images, moi je sors du four et du réchaud croissants, pains-fesses et gâteaux des anges que je me suis levée à quatre heures cette nuitte pour les pétrir, mouler, lever et faire cuire — là, j'emballe par groupes de trois les croissants dans des sacs ziploques, par groupe de deux les pains-fesses dans du papier ciré brunchié, par pas de groupe pantoute les gâteaux des anges puisqu'eux autres, je les emboîte chacun séparément — je fais vite parce que le temps filfilfile sans qu'on ait jamais le loisir de se voir passer dedans et que betôt, sinon tusuite, va ressoudre dame PAntaléONne poRtELANCE et son mari, rien de plusse qu'un nain haut comme trois rondins de bouleau mis boutte à boutte et qui a l'air de se montrer sur des ressorts parce que la corporation cesse pas de lui sprigner même quand il s'assoit dans la chaise haute qu'aBsalon-mOn-gArçon a fabriqué spécialement pour lui : si tu veux garder tes clients, tu regardes pas à la dépense inventive, sauf celle du bas-côté où c'est que t'entreposes saindoux, sels amers, farine, beurre, gélatine, confitures de sauvages fraises, de civilisées framboises, de pembina en royale gelée, sans oublier, ben sucrée, la melasse (pour le cas que quequn, dévoré par la nostalgie, te demanderait de faire cuire des bescuits comme ça allait de soi d'en confectepâter en mode de l'ancien temps) —

LE CLOCHETON DE LA PORTE D'ENTRÉE SE fait entendre, mais j'aurai pas le temps d'aller ouvrir : pour pénétrer en queque part, dame PantAléONne poRtELANCE attend pas qu'on lui en donne la permission — contrairement au nom grâce auquel elle se fait intituler, elle a pas les moyens physiques de ses ambitions matronymiques : dame PantAléONne poRtELANCE est maigue comme un chicot, elle a peu de fesses et peu de tetons, mais des omoplates saillantes et une pomme d'adam qui lui est advenue sous la margoulette après un traitement contre le cancer des gangues de lion — et ses cheveux, qu'elle a perdus tandis que pommelait sa pomme d'adam, ont repoussé en clairsemés, en filassieux et en jaunasses poils, une bonne raison pour que depuis elle porte sur la tête une tuque de laine tricotée serré, peu importe qu'on soye embourbés dans l'hiver de force ou ben qu'on se déshydrate la corporation sous un soleil de plomb plombé d'aplomb — pour compléter un tant soit mieux la portraiture de dame PantAléONne poRtELANCE, j'ajoute tusuite que la maladie s'est aussi attaqué à ses cordes vocales : elle qui avait jadis une si tant belle voix d'alto, voilà qu'elle a maintenant le registre d'une barytonne — pour être grave, ça l'est pas à peu près ! — quant au tinomme de mari, il est court sur ses pattes comme le sont les nains, mais c'en est pas un vrai : jÔhny BONngGALouPpttt a eu la poliomyélite en sa titenfrance, ça s'est jeté dans le bas de son corps, de la taille au boutte de ses piépiés, et c'est resté là à demeure comme de la vesite imprévue qui t'arrive et qui s'incruste parce qu'elle se trouve ben nourrie, ben chauffée et ben littée — les maigues jambes et le peu de bassin de jÔhny BONngGALouPpttt, ça ressemble à un exploit biologique quand on pense que ça supporte une énorme poitrine, un col de grand bœuf d'exposition et une grosse tête à teint jaunassieux et aux yeux mal bridés comme en portent les communautés vesibles — de quoi imaginer facilement que dame PantAléONne poRtELANCE et jÔhny BONngGALOuPpttt se soyent rencontrés à saint-ePhREM de bEAUce quand le cirque de pitouBARnomme s'y montrait le chapitre haut : étant donné qu'ils avaient plusse de succès auprès du public que la barbante femme à barbe qui se taillait une bavette de sa grosse moustache, pitouBARnomme a engagé dame PantAléONne poRtELANCE et jÔhny BONngGALOuPpttt pour reniper sa division des tinamuseurs auprès des tinamusés, et le succès fut tel que les deux ont vite ramassé ce timagot avec lequel ils ont acheté, un rang moins haut que le nôtre, et face au fleuve, un gîte du passant que c'est moi qui le fournis en croissants, painsfesses et gâteaux des anges —

JÔHNY BONNGGALOUPPTTT A PRIS DANS un racoin la caisse de beurre noir que je garde expressément pour lui, il l'a mise près du litte d'habaQUq-mon-sEuL-tenfant, est monté dessus et depuis, il s'ingénie en tours de magie, du genre brasser des cartes qui existent pas ou faire apparaître d'un chapeau invisible des lapins qui le sont tout autant que lui — habaQUq-mon-sEuL-tenfant y prend toujours grand plesir et je profite moi aussi de ce plesir-là puisqu'il me permet de m'assire à la table de cuisine pour y siroter un café de bleuets en compagnie de dame PantAléONne poRtELANCE — croyez-moi dans ma parole : on s'ennuie pas avec une femme pareille que la voix a l'air de sortir d'un baril de melasse tellement ça se dit par onctueuse et ponctueuse phraséologie ! —

DEPUIS QU'ILS SONT INSTALLÉS DANS LEUR gîte du passant, dame PantAléONne poRtELANCE et jÔhny BONngGaLOuPpttt font affaire avec les fantômes — du moins croient-ils que leur meson en est envahie : selon dame PantAléONne poRtELANCE, les portes des chambres s'ouvrent toutes seules la nuitte, la chiasse d'eau de la toilette part en tout anarchique dyscontrôle et sans que personne se soye assis sur le bol, des zombrages font sabbat dans le salon et les bibelots changent de place par eux autres mêmes dessus les étagères quand on ose simplement jeter clignage de quenœil dessus — le grenier est plein de très chauves souris, la cave de rats très dégroûtants et de très longues fourmis portant ailes et haridelles : « c'est-y pas là la preuve que le mALICiEux habite de par che nous ? » me demande dame PantAléONne poRtELANCE comme si j'étais une experte en choses-satrapes surnaturelles, moi à qui ça prend tout son tichange pour composer avec la réalité quotidienne, à ras de planchers et de portes de fourneau, à hauteur de titenfant handicapé et de tipoulets encavés — aussi je sais jamais quoi répondre quand dame PantAléOnne poRtELANCE me demande de l'éclairer, j'en reste plutôt bebouche mal bée et ben bête — « répondez-moi, voyons ! Vous êtes une médium, j'ai vu ça de suite quand je vous ai rencontrée la première fois : des yeux aussi chats perçants que les vôtres, je suis certaine que c'est fait pour voir dans le noir, là où c'est que les mots prennent toutes sortes de formes, de transport et d'incuries » — j'ai beau me récrier que quand je me couche le soir, je suis trop vannée pour me servir des yeux intérieurs que je pourrais avoir, j'arrive pas à en convaincre dame PantAléONne poRtELANCE : elle est assurément-certaine que j'entrepose sous mon litte branches de coudrier, croix pactorales, chapelets de croix romeunesques, pendules et réveilleurs de rêves que ça a même pas besoin de quadrans, de quadrilles ou de quantiques pour que tu te redresses carré dans ton litte, prête à danser steppettes, charlystones ou harlapapattes ! — « pauvre vous ! que je lui dis en lui tapotant la main de la mienne. J'ai rien d'une voyante : il y aurait des fantômes tout alentour de moi que je m'en rendrais même pas compte ! » — « vous parlez de même parce que vous voulez m'éprouver ! » dit dame PantAléONne poRtELANCE — « pourquoi voudrais-je-t'y vous éprouver et de quel droit le ferais-je-t'y ? » ai-je dit sans prendre le temps de tourner avant ma langue sept fois dedans la bebouche, ce qui m'aurait permis de comprendre que je ferais fausse route en posant une question pareille puisqu'elle inciterait dame PantAléONne poRtELANCE à plus avoir de cesse dans ses interrogations : « vous avez-tu donc pas la foi druidesse qui déplace les montagnes, niez-vous-tu la vérité profonde qu'on trouve en lisant madame BlAVAstky si théosophiquement tincomparable, et celle encore plusse encillante d'edgarhOOvercayce, et encore faudrait-il que je mentionne presque tous les prophètes de l'anchien TESTament qui parlaient avec les anges qui eux-mêmes s'entretenaient avec JEhoVAh, le survoyant en sa superfection même, trois fois l'une et soixante-dix sept fois l'autre ? » —

JE SUIS TOUJOURS EN ÉTAT DE MALAISETÉ QUAND dame PantAléONne poRtELANCE met ainsi la barre aussi haute en son mode conversatoire : si je rêve comme tout le monde que l'archange gabRIEL me rend parfois vesite alors que je prends mon bain, s'il m'arrive d'avoir des visions noctambulatoires, genre chiard de feu, quatre par bancs, avec juste des quenœils par quoi ça se meumeut entre saintciel et terreterne, je le dois pas à certains dons de voyageté tastrale que j'aurais reçus à ma naissance, mais parce que je cesse pas de besogner de l'aurore à la sournoise nuitte et que quand je me couche, manquée ben raide, mon sommeil se trouble comme eau fort staignante — voilà la vérité toute nudile, pas besoin d'y chercher rien d'autre entre le midi et le quatorze heures comme s'y emploie dame PantAléONne poRtELANCE toutes les fois qu'elle vient à la meson che nous y prendre livraison de mes croissants, pains-fesses et gâteaux des anges — mais essayer de persuader du contraire une quequne qui croit que son gîte du passant est hanté, c'est comme ça se passe quand un fefi pequiste croise l'affaire avec un fifelet federaliste : ça grinche des dents, ça chuinte, ça se parle en langue de bois et le feu que ça allume réchauffe pas grand-monde, sauf ceux qui font caricratures de leur métier — ainsi devrais-je prendre ma défense par-devers dame PantAléONne poRtELANCE, mais ça je le peuje jamais : elle m'interrompt sans que je puisse placer à leur suite sujet, verbe et complimentaire, ce qui fait que je m'embourbe, en perds le gratin de ma cuisine et finis-je toujours par concéder, concilier et zirconvenir : « dès que ma besogne me laisse un peu de lousse dans les cordeaux, je promets de vous rendre vesite et même si j'y crois pas, je vais inspecter votre bien et immeuble en sa cavité jusqu'en ses comblements » — « chaque fois que je mets le sujet dessus votre tapis, vous me répondez ainsi par promesse jamais tenue!» dit dame PantAléONne poRtELANCE en faisant par trois fois claquer sa langue contre le palais de son grand gousier — «j'admets avoir promis souvent et sans m'y retenir, mais que voulez-vous: je vis dans une meson pleine de hélas qui me grujouille mon temps et un peu plusse que tant, j'ai beau me démener comme une yiablesse dedans de l'eau bénite, je me retrouve plus souvent qu'autrement avec les mains enlianées derrière les omoplates, ce qui est pas d'avance pour prendre la porte et s'en aller avec, même si ça serait-t'y juste que chez le premier ouasin», ai-je dit — «mille excuses et secuses, a repris aussitôt dame PantAléONne poRtELANCE: j'oublie toujours que le monde est plein de sourcis, surtout dans votre particulier tout en particultes élamentables. Vivre avec un quequn comme votre mari que ses grands bœufs d'exposition sont plusse importants que sa famille, ça doit pas être sinécurisant toués jours» — «j'ai pas à me plaindre d'aBsalon-mOn-gArçon: il est dur à l'ouvrage, mais fort délicatisant pour le reste» — «je voulais pas vous en piquer là-dessus, même par inadvertance ou dans l'impromptu de mon almamytheur, a répliqué dame PantAléONne poRtELANCE. Ça serait indigne d'une quequne comme vous qui donne sans compter son plusse bel amour à son cher cefils. Puis-je d'ailleurs sur le sujet vous poser une question qui me brûle les lippes depuis une déjà sacrée mèche de chevelutemps ?» — j'opine de la tête parce que je le ferais pas que ça changerait goutte pour dame PantAléONne poRtELANCE : en finfinaude que finfinouille la curiosité, elle m'entendrait même pas lui dire non — aussi, conséquemment je consens : « allez-y, dame PantAléONne poRtELANCE, je vous écoute » — « ben, voilivoilà : ce que je voudrais-t'y donc savoir, c'est pourquoi c'est c'est que vous avez nominé votre cher cefils habaQUq-mon-sEuL-tenfant plutôt que n'importe comment d'autre en son épellation ?» —

DAME PANTALÉONNE PORTELANCE EST pas la première quequne à me demander informationage sur la nomaison du cher cefils : en ce temps-là, le ciel et la terre sontaient créés depuis longtemps et tout y marchait comme sur des boulettes pour aBsalon-mOn-gArçon et mon moi-même qu'il avait engrossée par une nuitte de pleine lune dans le jardin dit des grands bœufs d'exposition des seigneurs TOBune, en l'occurrence un verger fort vergoureux que les cerisiers étaient en fines flourissantes fleurs dedans et malgré le chiendent en progression et constante procession depuis que la porte dudit jardin avait été interdite aux taures, taurailles et taurillons qui s'y affilaient les cornes sur les troncs sans défense — en ce temps-là aussi, aBsalon-mOn-gArçon avait embrassé sur ses deux genoux la foi qui était celle des seigneurs de TOBune qu'un conflit trèhaulogique avec le curé de la paroisse notRe-neige-des-dAMEs avait fait devenir témoin de jéHOvah de très stricte observance, obligeance et obsessionnalité : s'il avait refusé d'en être, aBsalon-mOn-gArçon aurait été chassé du royaume tobunal et aurait perdu à jamais l'entretien, le dressage, la monte et la montre de ses grands bœufs d'exposition, aussi ben dire qu'il aurait été enbletté à point pour passer dans le tordeur de la grande dépréciation nerveuse — il valetait donc mieux pour lui de faire mauvaise l'infortune mais boniface le porte en porte, dix heures par semaine sur la route, la

TOuR de gArde dans une main et réVeILLEz-vous dans l'autre tandis que moi, assise dedans la berçante en la meson che nous, je me frottoulais le bedondaine en grossissante venaison tout en feuilletant la BIbLE que TOBune-son-père m'avait fait livrer dans un timoïse tout de tirosier tressé — je feuilletais et feuilletais la fameuse BibLE, y cherchant un prénom à donner au cher cefils pour quand il serait naissu et c'est ainsi que sans que je le veuillisse vraiment, mon regard tomba sur le prénom d'HABaquq, le ci-devant étant prophète en son état hébroïque — je dois toutefois confesser que c'est par inadvertance si mon quenœil est resté collé sur cette page-là de la BibLE : j'y avais pas lu HABaquq mais AGAguk, et l'histoire de ce prophète-là je l'avais fréquentée lorsque j'étais pensionnaire chez les sœurs de la diVINe proVIDEnce de queBEC en la belle ville de remouSKI — j'en avais pas gardé grande soutenance, sauf qu'AGAguk avait été un défenseur des peuplades topprimées tel l'HABaquq sur qui j'avais le doigt dessus en cette note si luminaire que ce fut impossible pour moi de passer à côté : « dans la doctrine des prophètes, HABaquq apporte une nouvelle note, à DieU il ose demander compte de comment c'est c'est qu'il gouverne son monde» — même si je trouve que DieU en temps rael répond pas vite à son prophète topprimé, j'ai lu et relu ce verset renversant qui m'a tant aveuglé par son luminaire que j'en ai fait copie de ma plus belle main d'écriture et l'ai épinglée au-dessus de la huche dont je me sers pour boulanger croissants, pains-fesses et gâteaux des anges: «malheur à qui c'est c'est qui commet pour sa meson des grapignes injustes afin d'établir bien haut son repaître, afin d'esquiver bien bas les coups du mal heur!» —

MON HISTOIRE DE LA NOMAISON D'HABAQUq-mon-sEuL-tenfant terminée, je bois une dernière gorgée de café de bleuets, imitée aussitôt par dame PantAléONne poRtELANCE qui, après s'être essuyé la bebouche du lenvers de sa manchouillette, se fait pontifiante ainsi que l'approuve ce qui suit: «c'est beau pas tordinaire ce que vous venez de raconter, c'est plus fort que du miCHEl tRemblant et du pierre CartON mal mis ensemble!

Vous devriez l'écrire noir dessus blanc, en faire sinistrésérie pour la television ou fefilm gagnant d'un OScar à HOLlYwood! » — je fais négation de la tête, j'ai plus le cœur à donner replique, repons et penitence, je m'en sortirais pas vivante en fin de journée si j'encourageais ainsi dame PantAléONne poRtELANCE à huiler sans cesse les engrenages de son moulin à jaser, suffit d'un simple mot, même d'inadvertance, pour que ça reparte de plusse belle, et là j'en ai la facture toute noircie de haut en bas, car midi va sonner betôt à l'horloge petit-père du salon et aBsalon-mOn-gArçon va reviendre de chez les seigneurs TOBune, son estomac tout passé dans ses talons et s'il devait s'assire à la table sans que soye ben trempée devant lui la soupe au gros lard salin, ben entamée la miche de pain-fesse, ben cordées dans le plat de service patates bouillies, macédoine de naveaux et de carottes, délichettes de bœuf en sauce brune et betteraves marinées fortement au vinaigre blanc, ça serait pas beau à entendre son insatisfaction colérique, celle qui se ferait savoir par épithètes mal sonnantes sortant de sa bebouche ou de son poing fermé s'abattant comme massusse de forgeron sur la table — moi, je suis toujours d'accord pour qu'on évite le pire quand c'est faisable, sauf que ça me gêne toujours un peu d'avoir à le dire — ça explique pourquoi je tourne ainsi la tête vers jÔhny BONngGALOuPpttt pour ainsi dire en état de transes sur la caisse de beurre, son corps tressautant de partout et la gueulerie comme fendue jusqu'aux areilles ! — il a tellement excité habaQUq-mon-sEuL-tenfant que celui-ci s'est désabrillé, a empoigné son membre viril et le manualise comme si ce jour d'hui était celui de la célébration de la saint-wOUInwOUIn ! — je me lève aussitôt de table, me précipite vers le litte d'habaQUq-mon-sEuL-tenfant, ramasse couvertures et draps tombés par terre et en cache résolument toute sa nudité déployée et sans nul doute possiblement à la veille de s'éjouir en un prodigieux jet de blancmange — comme si de rien c'était là, jÔhny BONngGALOuPpttt saute en bas de la caisse de beurre, la prend à brasse-corps et va la remiser à sa place dans le racoin de la cuisine, puis tout remonté dans ses ressorts, il se charge de l'amas de croissants, de pains-fesses et de gâteaux des anges et file tout drette vers la sortie, entraînant dans son sillage dame PantAléONne poRtELANCE, tout son sifflette coupé à cause de ce qu'elle vient de voir — bedingbedang ! fait la porte en se refermant — bon débarras ! fait aussi toute ma corpulence avant de pousser fort et long soupir, si soulageant c'est ! —

TOUTES LES CEFOIS QU'IL SE MANUALISE (CE qu'il fait de plus en plus souvent dois-je me rendre compte), habaQUq-mon-sEuL-tenfant s'épuise : après, c'est comme s'il tombait raide mort dans son litte, telle une pâte sans levain que le manque d'eau dedans rend impossible à boulanger — la prochaine fois que j'emmènerai le cher cefils chez la médecine, il serait bon que j'oublie pas de lui en glissagiler mot décousu pour le cas qu'autant de manualisation lui soye préjudiciable — en attendant, ce sera la foire aux chaudrons, marmites, tinettes, tines et casseroles, à remplir de potage farmentier, de patates sucrettes, de carrés de blœuf en saucette brune ! — midi est à la toute veille de s'apoger et aBsalon-mOn-gArçon, je vais l'entendre venir de loin parce que l'écho bouge beau quand c'est sec dehors à mettre le feu juste à faire craquer une allumette — « Mouman ! Mouman ! Ah Mouman ! » dit simplement habaQUq-mon-sEuL-tenfant en lâchant un pet si tonitruant que l'horloge petit-père du salon a beau sonner l'ange lousse que c'est peine perdue pour elle, je l'entends ni de guère ni de naguère, pas plusse d'ailleurs que je ouïs les pentures grinçantes de la porte quand aBsalon-mOn-gArçon apparaît dedans, l'air si caduque que j'en reste là, pétrifiée devant le poêle à bois comme si le ciel, en une grande chaudiérée, avait fait tête bêche et bête, mais pourquoi donc, d'aussi tempestive contrefaçon et si précisément au-dessus de nos têtes et nulle part dans l'ailleurs ? —

3

Quand on se surpasse durant
trois jours et trois nuittes
à planer dans l'ainsi d'une
commotion strangulante,
à attendre le dégel et le retour
du muguet, des cerises à grappes
et du pembina.

IL S'EST ASSIS EN BOUTTE DE TABLE SANS même avoir pensé à enlever ses grosses bottes d'habitant dont les épaisses semelles-tracteur à larges encavures retiennent toutes sortes de mardouillants détritusses que ce sera pas un cadeau quand je vais devoir m'esquinter là-dessus après qu'aBsalon-mOn-gArçon aura fait mangeaille et que se reculant de trois pieds dessus sa chaise, il se cassera le cou par derrière, s'ensiestant pour un tiquart d'heure comme un grand bœuf d'exposition entre deux défilés à la mode viandeuse — il s'est pas lavé les mains non plus, et c'est pourtant marbré brun jusqu'aux coudes, comme l'est d'ailleurs aussi le front, de quoi me faire lever le cœur tellement j'aguis ça quand la malpropreté ose ainsi se mettre aussi barbrouillée à la table — mais je me vois mal m'en récrier par-devers aBsalon-mOn-gArçon tellement il fait mauvaise mine, tout en renfrognements, comme un quequn que le mauvais sort s'est jeté desssus par derrière et sans prévenir : « mange ta soupe, sinon elle va frédir et ça tombe toujours comme une roche dans l'estomac quand c'est de même » — je parlerais à un mur que ça ferait pas de différence, aBsalon-mOn-gArçon se décroisant même pas les mains de sur la poitrine, levant même pas un semblant de quenœil vers moi, comme si ses areilles de calèche étaient barrées par dedans — que faire, ô doux JesUs, pour que ça se rempironne pas ainsi que ça arrive lorsque le feu est trop haut sur le poêle, le couvercle trop bien assujetti sur la marmite et l'huile en trop grande quantité dedans ? — un moment donné ça fait boom, le couvercle de la marmite revole jusqu'au plafond et l'huile fait flambe de tout bois au-dessus du poêle — « dis queque chose, aBsalon-mOn-gArçon, n'importe quoi et tusuite, sinon tu vas prendre en feu comme ça t'arrive la nuitte quand tu cauchemortises à propos de ton défunt père » — mes mots se rendent pas jusqu'à aBsalon-mOn-gArçon, les présumés fantômes de dame PantAléONne poRtELANCE les mangeant avant qu'ils peuvent tarriver à leur destination —

que faire, ô doux JesUS, que faire quand tout est ainsi aussi mal plié dessus son soi-même ? —

J'AI PENSÉ QU'UN PEU DE CHANT, MÊME SANS musique, ça adoucit les mœurs, ça amincit les peurs, ça ramollit les beurres, ça amortit les heurs et malheurs, et je me lève en mon mien boutte de table, je vire ma chaise de bord pour pouvoir empoigner le dossier de mes deux mains et j'entonne un tiqueque chose de la TOsCa : « je te fermerai les yeuxxxxxx avec millllllllle baisers, et je te diraiiiiii mille noms d'aaaaaamour ! Pour tes sens embraséééés, j'auraiiiiii mes lippes ! Et pour calmer tes fièèèèèvres, mes baiaiaiaiaisersssssssss ! » — t'as beau être une soprano coloraturée jusqu'au boutte des songles, t'as beau faire venir assez de trémolos pour casser verres de cristal et bibelote de porcelaine chenoise, quand le quequn à qui tu l'adresses se présente avec l'areille casquée, tu t'en retournes che vous avec ton ti-bonheur en débriscaille — « je te fermerai les yeux avec mille baisers, et je te dirai mille mots d'amour ! Pour tes sens embrasés, j'aurai mes lippes ! » — ça a grimpé de deux ou trois octaves sur l'octavin, les murs de cèdre ont fait bonne graisse de résonance, mais aBsalon-mOn-gArçon est resté de marbreté dessus sa chaise, glaçonné par dehors et par dedans comme si j'avais chanté pour moi toute seule dans ma tête — le découragement aurait pu me prendre ainsi dans mes dessous de bras et me projeter tête première contre la grande armoire à jouets, sauf que je tenais plusse que tout à éviter qu'arrive la fin du monde, si mal à propos ce fusse tété, étant entendu qu'il vaudrait mieux pour mourir et pour affronter le jugement dernier d'avoir le bedondaine rempli à pleins siaux — à tipas de louvesse qui connaît son grand garou, je m'approche donc d'aBsalon-mOn-gArçon et de ma main lui effleurant les cheveux, je lui dis à mots presque couverts tant ma voix se fait murmuriante : « mon thomme, mon thomme, ah mon thomme ! » — j'y ai mis trop de sentiment malgré moi, pas juste dans ma voix, mais dans ma main aussi, qui s'est enfoncée dans la tignasse d'aBsalon-mOn-gArçon, et il l'a mal pris, s'est redressé si brusquement qu'il aurait emporté dans sa frugue la nappe à carreaux à tipois verts et tout ce qui frédissait dessus

si je l'avais pas agrippée solidement — «me touche pas!» a dit aBsalon-mOn-gArçon en faisant deux steppettes de côté, trois harlapattes par devant et cinq genouflictions par derrière, le cou rentré dans les paupaules tel un grand bœuf d'exposition enragé qui se prépare à vous l'encorner de sournoise contrefaçon — je devrais lui laisser toute la place et faire racoin comme la caisse de beurre noir de jÔhny BONngGALOuPpttt, sauf que des fois on a pas la telligence qu'il faut pour s'y livrer, ni le bon geste pour s'y délivrer: plutôt que d'enlever ma main de l'épaisse chevelure d'aBsalon-mOn-gArçon, je m'y suis enfoncée au plus creux en chantouillant: «c'est mon thommmmmme! C'est mon thommmmme!»
— que j'aurais donc pas dusse, doux jeSUbe!
— ô non, que j'aurais donc pas dusse! —

COMME SI TOUTES LES LUMIÈRES S'ÉTAIENT éteintes en même temps comme si la pleine lune s'était mise entre l'enterreté et la soleillité plongeant ainsi toutes choses dans un encrier d'encre aussi noire qu'un tuyau de poêle que le ramonneur est pas passé dedans depuis des lustres comme si la poche des eaux de l'encielletage crevait d'un seul coup apportant pluies diluviennes vents à écorner les grands bœufs d'exposition déchaînements de l'eau séant et des mermerécages éruptions volcaniques raz-de-marais et tsunamis à faire se disjoindre en deux la colette polaire se neyer dans le vague lONDrEs neWyORK honGkOnG haliFAX et jeruSALEm comme des milliards d'humaines pensées typhonées parmi des milliards de corps tordus meurtris disloqués le tronc par icitte et la tête par ailleurs comme en de pestiventielles odeurs de fin de monde tandis qu'en ses quatre racoins retentissent les tromblettes du JurEmenT dernier comme com ! ah comme ah comme ah comme com ah ah com ! —

A D'ABORD BLASPHÉMÉ TOUT SON MÉGRONdentement, aBsalon-mOn-gArçon deviendu comme orignal épormyable et ChRIst en hostie dans son tabernacle maudit, déviargé et luciférant pareil à un yiabe se consumant en chapelle ardente, à ce point inentendable que je suis allé quérir deux paires de bouchons, m'en mettant une dans les areilles et faisant de même avec celles d'habaQUq-mon-sEuL-tenfant pour que la peur s'en prenne pas à lui et le vire tout de travers dans le lenvers de sa bougrine — et je suis restée là aux côtés d'aBsalon-mOn-gArçon, mes mains ouvertes dessus son portrait pour que ses quenœils voyent rien du malheur en train de s'ébattre dans la meson che nous : quand aBsalon-mOn-gArçon se possède plus, c'est la destruction qu'il y a au boutte de ses poings et de ses piépiés, tout y passe et s'y casse, la table démise et jetée par terre, la vaisselle en fracas dessus les murs, les bibelots émondés par la haute et par la basse, les têtes de bahut, de huche et de vieille commode arrachées, les encadrements des grands bœufs d'exposition piétinés en tessons de vitre émiettante — tout y passe et y trépasse, pire que ce qu'on voyait en tranchées de naguerre quand y explosaient les bombes à fragmentations, pire que ce qu'on voyait à kabOUl quand les aMERiCaIns l'y enlisaient — à lui seul, aBsalon-mOn-gArçon est l'axe du MAL dans son colérique débauchement et j'en pleure tant de larmes qu'on se croirait au printemps dans le plus fort de la cruosité des eaux qui inondent les terres jusque derrière la meson des seigneurs TOBune — «pour l'amour, aBsalon-mOn-gArçon ! Calme-toi le gros narfe, vouéyons donc !» — quand je le vois sortir un briquette de la poche de sa salaupette, je peux plus rester là à rien faire auprès du cher cefils : une fois qu'aBsalon-mOn-gArçon perd lumière, il y a plus de boutte à ce que ça peut maldonner — il s'est fâché une fois contre l'un de ses grands bœufs d'exposition qui avait manqué ben proche de l'encorner et c'est à coups de hache qu'il s'est vengé dessus la pauvre bête, elle était toute équarrissée lorsque le vieux seigneur TOBune est survenu dans l'étable, alerté par les beuglements démonisés d'aBsalon-mOn-gArçon — pas beau à voir c'était toute cette viande gaspillée et aBsalon-mOn-gArçon couleuré rouge sang des piépiés à la tête ! — il a failli ce jour-là se faire mettre dehors culte par-dessus caboche tellement était inadmissible ce qu'il avait perpétré en état de boucherie, même aux yeux du vieux seigneur TOBune pourtant peu porté à se montrer malaucœureux — il a dû payer le grand bœuf d'exposition rubis sur l'onglée, l'aBsalon-mOn-gArçon : des mois et des mois à lésiner sur le tout et sur le rien, je pesais pas le sucre à mettre dans la pâte de mes croissants, pains-fesses et gâteaux des anges parce que j'en mettais pour ainsi dire plus dedans — c'était pareil pour la viande qu'on consommait : fini c'était le bœuf bourguignon, les escalopes flambées et les tirôtis à l'ail des bois ! — juste des restes de boucherie dont personne voulait : têtes de vache, viscères de cochon, panses de chèvre et queues de veau ! — quand je voyais aBsalon-mOn-gArçon s'en venir à la meson che nous, portant panses et tripes ovines et bovines à l'épaule, le cœur me levait pour des jours et des jours et c'est moi qui se réveillais au mitan de la nuitte, entourée dans mon litte par de sanglantes têtes bestiales qui me regardaient comme si j'avais été un train en train de s'enrailler sur la voie déferrée ! — que d'émois et d'émotions, doux jesUsjeSubE ! —

À CAUSE DU BRIQUETTE ALLUMÉ DANS LA main d'aBsalon-mOn-gArçon, je dois faire vite si je veux pas que le feu poigne dans l'amas de vieux journaux qui sont près du poêle à bois : une fois embrasés, ça ferait boule de neige et si rapidement qu'on aurait même pas le temps de sortir de la meson — brûlés au troisième degré on serait, la peau fondante comme le sont maintenant les points de suture, avec plein d'os faisant saillies partout, comme c'est arrivé à toute cette famille-là qui s'appelait pourtant BOISvert et qui a passé au feu l'an dernier à cause que leur poêle chauffait rouge, que ça a monté dans le tuyau devenu comme transparent tant c'était avide, puis c'est tombé de la cheminée et l'holocause a suivi : deux heures après, la meson che eux était un tas de cendres qu'on a retrouvé dessous sept corps calcinés dans leurs littes, pires que des momies quand on les déterrre queque part aura les pyramides égyptiennes — « non ! Fais pas ça, mon thomme ! Fais-lé pas, non non ! » — la main d'aBsalon-mOn-gArçon s'avance vers le bûcher, ça sent déjà la gazette qui s'enflamme, je peux plus attendre ! — et tête baissée, je fonce sur aBsalon-mOn-gArçon sans voir le miroir brisé qu'il y a entre lui et moi, et je le heurte là où c'est qu'une arête, longue et effilée comme l'épée du roi arthUR, pointe désastreusement, et je donne de plein fouette sur elle, et ça m'entre dedans la cuisse jusqu'à l'os, et je trébuche, et je vois trente-six chandelles, et trente-six autres encore quand ma tête frappe l'encoignure de la grande armoire à jouets et tandis que ma bebouche se remplit de sang, je me sens deviendre molle comme filasses de guénille se débourrant, puis je perds constante et connaissance, et c'est tout rouge vif dans le trou que je me mets à dévaler, vers ma mort que ça mène tout drette, ô doux JesubE que j'ai chaud dans l'effroi du dos ! —

PALENTÉE DANS L'EMBRASURE DE LA PORTE de grange des seigneurs TOBune, la tête en bas, les jambes écartillées et maintenues ainsi par des ferrangles, j'entends de travers et comme à côté de mes areilles — c'est une scie à viande qui besogne par là, à hauteur du cou, et bien que je save qu'il s'agit du mien, qu'on est en train de me décapiter, j'en hausserais les paupaules si elles étaient pas aussi irrémédiablement tournées vers le bas — on dirait que tout mon corps s'est réfugié au milieu de ma cuisse, là où ça me fait mal de chienne comme si on tripafouillait dans les muscles jusqu'à l'os, comme si on voulait se perpétrer dedans pour sucer la mouelle qui s'y trouve — là où mes piépiés devraient être si on m'avait pas palentée, je vois rues de sang se former, devenir rigoles et ruisseaux puis, en trombes, tel que ça se passe à la quasIMO-doLE, déferler vers le bas du pont du fenil où c'est que hurlent à la lune noire toutes les chiennes enrageantes du canton — ensuite, la scie à viande cesse de se denteler dans ma chair de col et je vois ma tête s'en détacher, rouler sur les vieux madriers pourris, bedoum-bedoum le bruit que ça fait, fêlée la cloche du clocher de l'église notre-neige-deS-ANGes, en glas qui glace, en glace qui glassenaute dans le frette et la gélivure cosmique — ben étrange de voir ainsi sa tête s'en aller, bondissante, vers une meute de chiennes que les dents longues luisent hors des babines retroussées — encore plusse étrange de les regarder se jeter sur ma tête, mordre dedans, la déchiqueter aussi aisément que mou de veau, ris d'agnelle, cervelle de tizoiseau — tandis que sur les restes de mon corps s'acharne l'équarrisseur aBsalon-mOn-gArçon, en découpes de rôtis, de surlonges, de rumsteaks, de côtelettes, de cubes à bouillir, d'os à mouelle et à soupe — mais bien que je soye ainsi toute débifetée, ma cuisse c'est comme si elle souffrait toute seule par elle-même, queque part réfugiée dans le fond de l'air noir c'est et ça cille de douleur et ça se lamente de souffrance et ma tête ma pauvre tête que les chiennes croquent plus dedans parce qu'il en reste déjà plus rien ma pauvre tête et même mes yeux elles les ont mangés et c'est comme ça l'enfer ma pauvre tête : c'est quand tes yeux sont avalés par des chiennes en rabette et que ça va y voyager par monts et par vaux pendant toute l'éternité et peut-être même par après —

« PARDONNE-MOI, JE T'EN PRIE ET SUPPLIQUE, pardonne-moi ! J'ai perdu la tête, elle était plus sur mes paupaules mais à côté, c'est le méchant mALIn qui parlait par ma bebouche, oui l'infâme dans son soi-même ! Je t'aime tant, si tant, si tant tellement ! Pardonne-moi, je t'en prie et t'en supplique, pardonne-moi, l'hOS-Tie ! » — cette voix qui trotte menue, je l'entends à peine, si émincée elle est, comme si elle me parvenait au travers d'un hachoir à viande, tirasseuse plusse que de bon sang — ça fait quand même un tivelours en son soi-même quand on se rend compte que la mort s'est échappé par la porte du bas-côté, ses valises pleines des mauvaises odeurs qu'ont les corps qui se putréfractionnent sous les coups de la souffrance — pour m'en assurer vraiment, je voudrais ouvrir ne serait-ce que le quenœil gauche, mais ça serait trop tôt sur le chemin de la résurrectaction : ma tête est pleine de trous noirs et mes yeux vacillent dans les uns et dans les autres, à cloche-pied c'est sous ma caboche que les courants d'air voyagent dedans, discontinus, discorvenants, distordieux — « pardonne-moi même si je t'en malprie et t'en malsupplique, j'ai perdu éperdument la tête, elle était plus encolurée mais mise de côté, rien que du mauvais et maigue lard, c'est le malin méCHin qui déparlait, si débouché, l'infâme dans son soi-même ! Si tant je t'aime si tant tellement ! Pardon, pardonne, pardonne-moi, la CHrist ! » — comme ce qu'on entend quand le disque est usé et ses sillons éraillés, ça va devant tout en grinchignage, puis ça sautemoutonne queques croches par derrière et la chansonnette reprend, se prend, se déprend, à me casser la tête si c'était pas déjà fait ! — je voudrais me rouler en chienne de fusil, me mettre un pouce dedans la bebouche et en rester là comme une quequne de la race des curcubitacées, si aptes au végétarisme que ça leur fait rien de passer tout un été à se faire griller la couenne au soleillemio dans le potager derrière la meson che nous — « ma douce, ma rousse, ma tipouce, je t'aime, t'aime, t'aime, la VIargE ! » — je cherche un trou dans le matelas pour m'y enfouir la tête et le reste du corps aussi et je finirais par y arriver si, dans la brutalité de l'instant, venait pas me vesiter la vision d'habaQUq-mon-sEuL-tenfant laissé à lui-même dans la cuisine et peut-être en pleine contredanse de la sainte-méDONnal — du coup, je me redresse de sur ma couche et je hurle l'aigredoux : « patience dans l'usure, mon cher cefils ! Mouman s'en va, Mouman s'en vient, attends-la, attends-moi, ça s'arrive ! » — je viens pour sauter en bas du litte, mais une main se referme sur mon bras en clé japonaise et je retombe, annihilée, au beau mitan du litte et ça redevient si souffrable que je m'enfarge dans les fleurs de la courtepointe, ma pauvre tête tombée une autre fois parmi la meute des chiennes enrageantes qui sautent dessus et y mordent à crocs enveuxtuenvouélà, pour encore toute une éternité et peut-être même par après —

À FORCE DE MOURIR, LA PEUR ET LA DOULEUR finissent par se résorber, ça devient un tibouton à quatre trous qui se profile bas, avec si tant peu de choses à vivre qu'on pourrait passer à côté comme de rien ça serait — en l'état de si peu de matière noire, j'y resterais jusqu'aux premières gelées blanches : s'agit du temps de l'année que j'aime le plusse, celui qui rougit les cerises à grappes et le pembina qui font la royale gelée, à mettre dans le plomme-poudding, le gâteau aux fruits de la passion, le pain tireliche en forme de bâton fort couleuré tel une enseigne de barbier — quand ce temps-là arrive, je traîne généralement pas au litte : dès l'aurore aux doigts frasiles, j'enfile mon costume des neiges puis, bonnettée par le haut et chouclaquetée par le bas, je file vers les talles de cerisiers à grappes et de pembinas sur longs piépiés — je cueille, je trille, je saupoudre de sucre et de menthe, je fais cuire, ça sent si bon que la meson che nous en est toute aromatissée, comme dans cette histoire où c'est c'est que le monde vit dans une meson de pain d'épices, odorant ça se consomme, par titecuillerées d'argent — « miam, Mouman ! Miam, ah Mouman ! » que s'écrie habaQUq-mon-sEuL-tenfant quand s'éjouit le temps des cerises à grappes et du pembina sur longs piépiés — comme je suis bien là-dedans, avec plus un seul couchemort en vue, même pas dans ma cuisse entaillée que la sève d'étable s'écoule de —

MALGRÉ MOI, J'OUVRE LE QUENŒIL GAUCHE, puis le droit, quoique je devrais pas : sous mon nez passe et repasse le tipot de royale gelée de pembina, tenu en main par aBsalon-mOn-gArçon — la berlue ! — voilà que j'ai la berlue astheure ! — passer aussi proche de mourir, en remonter juste du quenœil gauche et avoir dessous le nez un tipot de royale gelée de pembina, tenu en main par aBsalon-mOn-gArçon qui me rit en pleine face, la yieule fendue jusqu'aux areilles ! — la berlue, c'est certain que mes yeux (le droit fait le quenœil aussi rond que le gauche maintenant) ont attrapé la berlue quand ils divaguaient dans les corps des chiennes enragées par les odeurs de boucherie ! — « cesse de rire, aBsalon-mOn-gArçon, et dis-moi plutôt c'est dans quoi c'est c'est que je reviens ! » — il referme les tenailles de son mâche-patate, me topotine le flanc de sa main, passe la langue sur ses lippes pour les humecter de salive, puis ouvre la bebouche dans l'intention évidente de commencer à s'intervenir, mais il reste là, bebouche greusement ouverte, en contracdiction de mâchoires, puis il part à brailler, paupaules tressautantes, et de ses poings se frappant les cuisses comme un quequn que la rondelle roule plus pour lui, ni pour son équipage, ni même que pour la partie adverse — il cherche son souffle aBsalon-mOn-gArçon, une vraie pitié qui me fait me redresser une autre fois dans mon litte : « habaQUq-mon-sEuL-tenfant et mon cher cefils, où es-tu pour l'amour et l'es-tu en tout ton corps ? » — me reprend aussitôt la main aBsalon-mOn-gArçon et ferme enfin sa chantepleure : « t'inquiète pas pour l'HABaquq, le médecin est viendu et il dort depuis »

— « depuis quand, doux jeSuS ? » — « ça remonte à trois jours déjà » — « trois jours, c'est impossible, ouéyons donc ! Trois jours que je serais pas été auprès du cher cefils, ça se peut ni par devant ni par derrière ! » — « tu dormais » — « personne pour s'occuper d'habaQUq-mon-sEuL-tenfant, ça se peut pas, pantoute ! » — « c'est dame PantAléONne poRtELANCE qui est restée tout ce temps-là à son chevet et qui s'y trouve encore » — dame PantAléONne poRtELANCE aux bons soins avec mon tinange, et JÔhny BONngGALOuPpttt sûrement à ses côtés ? — « il a été là dans les premières heures, puis il s'en est retourné gérer son gîte du passant, ni revu ni reconnu depuis dans la meson che nous : aussi, pense plus qu'à te reposer, il y a seulement ça qui compte, pour tusuite et sans doute aussi demain, toi ma brousse, toi ma glousse, toi ma bien-aimée tipouce » —

UN TEMPS, JE RESTE AINSI ENTRE PLAFOND et couchette, suspendue dans l'air ambiant, à essayer de faire le ménage en ma tête :

que suis-je, que fuis-je, qu'y puis-je, tout ce ça-là qui est las, qui s'y pourmène de tant de si sur sols, comme mies de pain mordorées tombant en neigeante neige sur l'endos du faux sommeil, l'a mise là ma mémoire, dans le blanc-mange de l'incertain — si mal portante ma portée de souvenirs, sans rus ni ruts ni zuts pour m'y tailler en fugue canonique et pourtant ça rechantonne, queque part c'est entre mes areilles : dors rémi là sur le dos haut à mimimi la doré si lascive si si soleil si si si ré mi, dors dors dong ! —

TROIS JOURS À PLANER DANS L'AINSI DE LA commotion : reprendre piépié, puis perdre langue, reprendre langue, puis reperdre piépié — images vagues de ressorts cassés, de cris de miroir, de bûches flambant nues au milieu de la cuisine, d'écoulement de sang, le mien, celui d'aBsalon-mOn-gArçon, celui d'habaQUq-mon-sEuL-tenfant, comment savoir au travers de tous ces fils entremêlés, de toutes ces flammes, de toutes ces bouses, de toutes ces têtes de vaches décapitées, de toutes ces grandes yieules de chiennes enragées, de toutes ces termitentes notes de musique en va-et-vient désordonné ? — attendre le dégel, attendre que l'effroi fasse amende en érablière, quand les feuilles tombées remontent dans les arbres, que lèvent les semences et que rechante enfin sur son boutte de pagée de clôture le coq gravelois des seigneurs TOBune — attendre, ô doux le JEsusJEsube ! —

J'AI PU ME PRESQUASSIRE DANS MON LITTE sans que ça me fasse trop mal dans la cuisse — l'ai regardée, tapotée et catinée, par-dessus le pansement recouvrant le haut de ma jambe, puis j'ai porté la main à mon front, y faisant la rencontre d'une méchante bosse de la grosseur d'une prune de damASSe, et c'est pareil comme si mon cœur s'y était abricoté — à chacun de ses battements, la caboche veut me fendre, comme si quequn se tenait au dedans d'elle, muni d'un long couteau, et voulait la scalper de l'intérieur — je me glisse quand même au bord du litte en prenant soin de ma cuisse blessée : deux cœurs qui battent la charade en même temps, je pourrais pas l'endurer — je m'agrippe d'une main au ciel de litte, je tâte le plancher de mes piépiés pour le cas qu'un débris d'humanité s'y trouverait, un trop grand risque à courir pour une quequne aussi mal amanchée que mon moi-même, un simple titrébuchement et j'aurais aussitôt les quatre fers en l'air — ça s'élance et ça m'élance tusuite dans ma corpulence, je me mords les lippes parce que je veux pas m'écrier, ma vue s'y brouille tant ça me fait mal et je me laisserais retomber dans mon litte si le sort d'habaQUq-mon-sEuL-tenfant m'inquiétait pas si tant — trois jours sans que je soye auprès de lui, le cher cefils si démuni sans moi, comme il a dû avoir peur et mal manger et mal dormir et mal se manualiser et mal s'uriner et mal se déféquer, pauvre mon tinange à sa Mouman ! —

DÈS QU'IL ENTRE DANS LA CHAMBRE ET qu'il me voit mal assujettie dessus mes jambes, aBsalon-mOn-gArçon se précipite et me force à me rassire dans la couchette : « des jeux pour que tu t'en retournes tout drette dans les limbes et que tu y restes à demeure ! Pas plusse de tête que ça, c'est à grimper dans les rideaux ! » dit-il, beugle et meugle — « parle pour toi ! Parce que toi, tu te contentes pas de monter dans les rideaux, tu mets le feu dedans ! » que je retorque aussitôt — « pendant trois jours et trois nuittes, je t'en ai demandé pardon ! Est-ce que ça devrait pas suffire, question culpabilité et remords ? » — « je sais même pas encore pourquoi t'es monté tout de travers sur ton grand bœuf d'exposition pour revirer à l'envers la meson che nous ! » — « si tu veux que je te l'apprenne, faudrait d'abord que tu te remettes les areilles à la bonne place ! » — « cesse de retourner autour du tipot de royale gelée de pembina et vide-le donc une fois pour toutes ton sac à marbrelices, ô doux JesuS ! » —

J'AI FERMÉ LES YEUX, PESÉ SUR LA SWITCHE de l'enregistreuse et ce que ça laisse à entendre voilà donc c'est quoi c'est c'est : les deux frères jumeaux d'aBsalon-mOn-gArçon sont reviendus du grand mORiaL où c'est qu'ils ont passé les quinze dernières années à y faire on a jamais su trop quoi, sûrement rien de propre parce que BARuch-l'aîné et sopHONie-le-beNjamIn ont toujours été sales, par dehors comme par dedans : à la titécole, personne voulait s'assire à côté d'eux autres, ça sentait trop la viande faisandée, la tête fromagée passée date, le lard ranci de cochon qu'on a oublié de mettre de la saumure dans la jarre de grès — leurs langues étaient aussi sales que leurs corps : en sortaient que de gros mots grossiers, grivois, grotesques, surtout quand ça s'adressait à nous autres les fefilles — on était toutes des greluches, des grébiches et des guédailles, on avait rien d'autre qu'un trou entre les jambes et ça pensait juste à s'y fourrer la main dedans quand ça nous traînait par les cheveux derrière l'école, dans le sous-bois, et nous déshabillaient-ils les jumeaux maléfiques, et riaient-ils de nous en nous pinçant les fesses ou bien en nous menaçant de nous entrer un rondin de bouleau dedans le vaguelin : « tipeteu, a l'a le tipeteu en feu ! » disaient-ils, morvant à pleins naseaux et essuyant leurs glaires après nos tetons — deux obsédés sexuels que même la bestialité leur faisait pas peur: BARuch-l'aîné s'immisçait le soir dans les étables de nos ouasins, il s'emparait de l'un des tibancs dont on se servait pour traire les vaches, il montait dessus derrière une genisse, il se déblaguettait de l'entrejambe et prenait ainsi son piépié en forniquant à la grand bœuf d'exposition monté durdur — dix ans qu'il a fallu attendre avant que ça lui éjacule en pleine face par flagrant délit, le seigneur TOBune-son-père si écœuré qu'il a mis BARuch-l'aîné dans un étaubus et l'a shippé tout drette à mORiAl — pour sopHONie-le-beNjamIn, ça a demandé trois ans de plusse avant que la justice imanante lui mette le grappin dessus — pauvre seigneuresse TOBune que sopHONie-le-beNjamIn ligotait sur une chaise droite après l'avoir dégreyée de tout son linge de corps pour mieux la menacer de la marquer au fer rouge si elle refusait de lui dire où c'est c'est que dans la cave était caché le chaudron de fonte dans lequel elle gardait ses économies (car la seigneuresse TOBune aurait pu s'appeler séRAPhINE PoUdRiEr tellement elle était près de ses cennes et de celles des autres, une vraie manie que la sienne, une idée fixe, sans doute la seule d'ailleurs qu'elle a eue de toute sa vie) — pourtant, elle se faisait arranger la cassette par sopHONie-le-beNjamIn et s'en ouvrait à quiconque, même pas à son seigneur de mari : de ses trois titenfants, elle aimait que ce petit-fils dégénéré qui la torturait et lui volait son argent pour boire, courir la galipotte, mettre enceintes de pauvres cefilles et les abandonner lâchement quand elles refusaient de se faire débotter (chez une quequne qui avait déjà été sage-femme mais qui voyait le monde à l'envers depuis qu'elle était retombée en son enfance et croyait que dans les broches à tricoter était le salut d'une bien que trop abondante humanité) — ô doux JesusJesube ! — quinze ans de tranquillité et bingbang !, voilivoilà le voile du vemple déchiré une autre fois par les ci-devant jumeaux BARuch-l'aîné et sopHONie-le-beNjamIn, deux restants de quilleurs, deux profiteurs, deux crosseurs, deux resquilleurs, qu'à seulement prononcer leurs noms, c'est déjà assez pour que l'air ambiant empeste, se putrifie et se décompose — pourriture maudite pire que fosse à putrin et tas de frumier ! —

ABSALON-MON-GARÇON SE PENCHE ET s'épanche : « j'étais en train de chauler à neuf la shède à fumier et j'y allais plutôt effrondément que carré parce que TOBune-son-père m'avait perçu en audience dans le bureau bovial de la meson che eux pour me dire qu'il était si satisfait de ma besogne qu'il augmentait mon salaire de trois virgule trente-trois pour cent, et c'est la première fois que ça m'arrivait depuis les quinze ans que je me suis mis à son service pour le meilleur de son empire, sans jamais que je compte sur les heures, sans jamais que je boque devant une tempête d'hiver ou dessous une chaleur tauride d'été. Un fils pour nousautres, c'est ce que m'a dit TOBune-son-père, et il a même ajouté qu'il songeait sérieusement à me faire acte de donation pour la meson qu'on habite dedans et qui lui appartient, mais juste sur papier a-t-il ajouté, étant entendu depuis quinze ans que même à loyer, nous en sommes les propriétaires pour ainsi dire de plein droit. Imagine : deux très cebonnes nouvelles en même pas un tiquart d'heure, c'était ben assez pour que je mette tout mon cœur à mon ouvrage de chaulerie tout en fredonnant avec joyeuseté mon maRI est au RapidE blanc ahouihinhin. En tout cas ça s'est prévalu de même tant que sont pas surviendus dans la shède à fumier BARuch-l'aîné et sopHONie-le-beNjamIn comme des quequns qui sortent d'une ben méchante boîte à surprises : greyés toués deux en cartes de mode, pareils comme les maffieurs et maffieuses qu'on voit à la television, des bagues à chaque doigt, un gros cigare enfoncé comme un coin dedans la bebouche. Y sont restés sur le seuil des grandes portes de la shède à fumier et m'ont apostrophé par un tas d'injures bouseuses : « t'as pas changé ! Toujours les deux piépiés dans la marde à faire le lichecul pour mettre la main sur le bien meuble et immeuble de nos grands-parents les saigneurs TOBune ! Espèce de trou du culte pelteur de purineuse nuageté ! Espèce de chieur de la manigance et de l'entourloupet ! » Moi, j'étais tellement surpris de les voir ainsi si nippés et ainsi si nicklés dans leurs costumes de parade que j'en restais bebouche bée et bête comme si j'avais mangé un siau de bouette, pour moiquié chaux vive diluée dans de la pisse de joual vert, pour moiquié bouses de vache mises en boulettes et fermentant durdur. Ils ont profité de mon ébahissement le BARuch-l'aîné et le sopHONie-le-beNjamIn pour ajouter: « t'as eu du bon temps dessus notre dos, mais considère que c'est dans le révolu global à compter d'aujourd'hui parce qu'on est pas reviendus par icitte pour simplement rendre vesite : il y a ben de l'argent à mettre la main dessus quand c'est c'est que TOBune-son-père va débouler de son ancestral billot, et c'est dans nos poches à nous autres tes cefrères que ça va se retrouver, pas besoin de signer de papiers là-dessus pour que ça aye force de loi, mets ça dans ta pipe pis fume-lé, espèce de trou du culte pelteur de purineuse nuageté ! » —

ABSALON-MON-GARÇON S'EST ARRÊTÉ DE pourparler, par manque d'air dedans ses poumons, par manque de salive dedans sa bebouche — la tête toute dépassée dans la fenêtre béatement ouverte, cherchant après son respir, cherchant après ses mouillantes glandes, son dos si courbaturant depuis seulement trois jours, ses fortes jambes de gladiateur romeunesque en train de branler dans leurs manches — j'ai dit: «plutôt que de t'en prendre aux meubles et de vouloir mettre le feu à la meson che nous, pourquoi pas m'en avoir parlé aussi simple que tu viens de t'y faire?» — «je pouvais rien dire, le motton était trop gros dans ma gorge, il y avait pas moyen de moignonner pour que ça passe dedans, surtout pas pour ce qui est surviendu par la suite quand BARuch-l'aîné et sopHONie-le-beNjamIn m'ont tourné de bord l'endossement et s'en sont allés faire les jars paonnés par devers TOBune-son-père et TOBune-sa-mère» — «raconte-moi. Astheure que l'abcès est crevé, éponge-le comme y faut de ta saliveuse dépense: on désinfectera dans l'après» —

PAUVRE ABSALON-MON-GARÇON! — UNE vraie pitié que de le voir s'en reviendre vers moi, si défectueux dans sa bougrine qu'il en marche les piépiés par en dedans, avec les bras qui braillent le long de son corps et la tête rabaissée loin, comme un grand bœuf d'exposition trop malamainable pour être emmené en foire agricoltante et qu'on a écorné, peut-être même émasculinisé, pour lui enlever toute enveilléiture agressive, toute blœufitude de faire le beau même avec les maigues vaches ennayères du voisin — je laisse aBsalon-mOngArçon s'assire à côté de moi, je lui surprends la main et la porte à mes lippes tandis que craquettent en ses nerfs étossés ses mâchoires et que s'ouvre sa bebouche en toute confidentialité de ton et toute économie aratoire : « je suis là, dans l'embrasure des grandes portes de la shède à fumier, je regarde BARuch-l'aîné et sopHONie-le-beNjamIn s'en aller dans leurs bras dessus dessous vers la meson de TOBuneson-père, je suis comme crampé par mes dessous de piépiés sur le seuil, impossible pour moi de faire trois paspaspas, pas plusse par devant que par derrière, j'arrive pas à crère que sont vraiment reviendus mes deux mangemarde de frères, je m'édite que j'ai trop pelleté de fumier dans la shède, que c'était pas assez aérosolé là-dedans, que trop de méthane et d'ammoniaque se surpassaient des bouses entassées, que j'en ai respiré les trémanations et que là, je suis en facultés aussi rafléblies que si j'avais envalé de la bière tROis-pisToleS par pleins siaux, tinettes, mathusalems, jéré-boirams et galatées — et mes deux mange-marde de frères qui se sont assis sur le capot de leur voiture crustulante, couleur sang de blœuf, ce qui est sûrement pas un hasard quand je les connais, et dans laquelle voiture crustulante ils ont fait le trajet du graNd mO-RIAl jusque che nous, icitte, en notre si bien-aimé boutte de rang — ils fument de gros cigares, mes deux mange-marde de frères, se tapent sur les cuisses, me font niquépique et s'en rient à gorge déployrable — moi, je devrais me ramasser le fond de culotte à pleines mains et leur courir susse, et leur démolir la portraiture, et les rembarquer dans leur maudit char couleur sang de blœuf et les envoyer se repaître ailleurs avant que se déchaîne pour tout de bon l'axe du mal au-dessus de la meson de TOBune-son-père et de TOBune-sa-mère — je fais rien pourtant, j'ai les jambes et tout le reste du corps comme encimentés dans le seuil des grandes portes de la shède à fumier: tu pourrais me prendre par mes dessous de bras et me porter au-dessus du vieux pont d'affaire de TOBune et me jeter en basdubas, dans le grand remous d'eau, que je lèverais même pas le tidoigt pour pas me neyer, hostie du crisse, et tout cette eau salissée à cause de deux mange-marde qui auraient dû rester de par che eux, câlisse de ciboUère, l'hostie ! » —

À BOUTTE DE SOUFFLE ENCORE, aBsalon-mOn-gArçon doit aller reprendre bolée d'air, presque toute son identité passée dans la fenêtre tandis que le corps lui bronche des piépiés au cabochon et que le cœur, lui, s'enlève, le faisant tressauter des paupaules et fressayer du fessier — pas drôle à vivre pour lui, pas drose à voir pour moi — ma bosse au milieu du front me fait un mal de chienne enragée, j'ai le dos comme sciéscié en deux, ma blessure à la cuisse m'élance en fudibondes gascades, à crère que c'est plein de verre émiettée là-dedans — je m'accote du mieux que je peux au ciel de litte, je soupire, je transpire, je cherche l'haleine, je m'énarfe le gras des jambes, j'attends qu'aBsalon-mOn-gArçon fasse mauvais poumons bon souffle et j'attends qu'il beurre épais les toasts de son règlement de conte —

ENFIN, SE DIT-IL EN COMMENÇANT PAR CELA même : « BARuch-l'aîné et sopHONie-le-beNjamIn étaient assis sur le capot de leur maudit char couleur sang de blœuf, ils buvaient encore et toujours de la bière tROis-pisToleS en cessant pas de me faire simagrées, grimaceries, pantomimages et dessinssansdesseins, genre bras tendu avec le gropouce en bas, ou ben main en forme de pistolet appuyée contre tempe. Moi, la boucane commençait à me sortir par les areilles, mes jambes se décimentaient de dedans le seuil de porte, mes mosselles de bras étaient partis pour que tout mon linge de corps se déchire d'un seul coup sec. J'ai lâché un dé profondiste à enterrer la chorale de l'harFANg-des-neiGEs puis, juste au moment que j'allais me lancer à l'attaque, TOBune-sa-mère est sortie sur la galerie greyée comme un sapin du temps des fêtes, puis du haut des marches elle s'est jeté dans les bras de sopHONie-le-beNjamIn. Ç'aurait été pour un renouveau conjugal que ça arait été pas plusse évident ! Quand je le pense ! Ça tournait toués deux comme des toupies, ça se bécotait, en veux-tu de l'embrassage ben en vouélà, à ragoûter n'importe en qui de jouer le fefi pequiste plusse que dix titemenutes dans sa vie ! Ils sont entrés dans la meson après, TOBune-sa-mère toujours dans les bras de sopHONie-le-beNjamIn, en lunes de miel qu'ils étaient toués deux de corps et d'esprit, tandis que l'enfant de chienne de Baruch-l'aîné leur chatouillait les dessus de gras assez ardemment pour faire faire grisette à un troupeau entier de taures, taurailles et grosses vaches en rabette, babette et babeurre, la crisse ! —

ABSALON-MON-GARÇON A SORTI UN MOUchoir à carreaux à tipois verts de la poche de derrière de son pantaléon, il s'est épongé l'affront, il a essuyé la bave qui lui découlait de la bebouche au menton — j'ai dit : « c'est cette scènette-là qui t'a mis le feu au culte et qui t'a porté jusque dans la meson che nous pour tout y débâtir comme une grosse bête flessée à tort et de travers ? » — « ce que j'ai vu aurait suffi à enrager n'importe en qui, mais le rouleau était loin d'être rendu au boutte de sa déroulade, crois-moi ! » — « explique-moi » — « j'ai monté les marches de la chasse-galerie, je suis été jusqu'à la fenêtre qui donne sur le salon et ce qui se passait là-dedans m'a électroculté de la tête aux piépiés, tellement ordurieux c'était que je me pensais en état de visionnage comme prétend que ça lui arrive dame PantAléONne poRtElANCE quand c'est c'est que les fantômes font sabbattemâterre cheeux » — « pour l'amour, quoi c'est c'est donc que t'as si tant tellement vu ? » — « la TOBune-sa-mère montée sur une table au beau mitan du salon et dansant comme une échappée de la rue sainT-lAUREnt du graNd mORIAl ! » — « le soleil plombait fort il y a trois jours, mais quand même pas à ce point-là, tornondetornado ! TOBune-sa-mère a de la misère à mettre un piépié devant l'autre tellement le lard triste l'a toute déconcrissée : comment tu voudrais qu'elle se tienne deboutte tuseule sur une table en faisant steppettes et grimalderies ? » — « je te l'ai dit : je pensais que c'était moi qui étais en transes tellement mes yeux s'y croyaient pas ! » — « même en admettant que t'ayes vu vrai, comment ça se fait que TOBune-son-père soye pas intervenu ? » —

«c'est justement la question que je me posais en zieutant le méchant spectaque par la fenêtre : pourquoi c'est faire qu'il s'y intervenait pas ? Pour le savoir, fallait que je perpètre dans la meson sans cogner avant dessus la porte, ce que je me serais jamais permis en temps normental parce que pas aussitôt intirpé, je me serais fait sortir culte par-dessus tête comme un pedleur de vieux chaudrons. Mais l'heure étant dans le grave à plein, j'ai laissé sur la galerie mon savoir-vivre et j'ai poussé la porte. Hostie frostrée ! Sur son trône de velours rouge braquetté de braquettes dorées, TOBune-son-père ronflait comme une locomotive et petait comme une vache qu'on met au pacage au printemps dans de l'herbe si verbousante qu'une fois avalée, ça se transforme en vents extrêmement puissants ! Je me suis approché, je lui ai tapoté l'épaule, mais TOBune-son-père on te l'avait dopé à mort, et preuve en était dans la tasse de fer-blanc qu'il tenait encore à la main. Dopé à mort que je te dis ! Par deux codingues appelés BARuch-l'aîné et sopHONie-le-beNjamIn qui faisait faire de TOBune-sa-mère une folle d'elle dans le salon. Jamais vu de la saloperie pareille, même en campagne électoriale, avec fefis pequistes, blœufs de l'ouest ou senistres adécuistres ! J'en étais estourbi du fondement à la crêpedecoque, esbaudi, estourdi, littérablement estombé ! » —

COMMENT POURRAIS-JE EN VOULOIR ENCORE à aBsalon-mOn-gArçon d'avoir perdu le contrôle de sa ouaguine à la vue d'un pareil spectaque ? — c'était rien de moins que quinze ans de sa vie qu'il voyait ainsi s'envoiler dans la fumée des gros cigares puants de BARuch-l'aîné et de sopHONie-le-beNjamIn, quinze ans de durs labeurships, à faire d'un royaume naguère abandonné la huitième merveille du monde de noTRe-neige-des-dAMES : toutes les clôtures relevées, tous les champs défardochés, toutes les swâmpes comblées, tous les sous-bois aménagés, toute la forêt des grands pins parasols nettoyée, toutes les prairies réensemencées à la luzerne, au trèfle rose et au millet, tous les bâtiments radoubés, rechaulés et repeinturés, toute la réguine remontée à neuf, tout le cheptel des vieilles vaches canayennes tirasseuses en viande et peu fécondes en taures et taurillons vendu aux enchères pour que surviennent, si gloribieux, les grands bœufs d'exposition, porteurs de longues cornes, à crinière de lion, à poitrail de bison, à fessier de buffle, à queue tressée à la mère rindienne ! — l'œuvre de peu de vices mais de plusieurs vies, si crolossale qu'en d'autres fieux on s'y serait mis à douze pour la chef-d'œuvrer ainsi que l'a si bien fait aBsalon-mOn-gArçon, par pur amoureserie de la nature, par pure fidélité et loyauté à la famille, sans jamais la moindre arrière-pensée, étant entendu que quand on sert aussi bien des grands-parents tels que TOBune-son-père et TOBune-sa-mère, il va de soi qu'ils vous coucheront dessus leur testament au nom de l'aquité, du rustique et de la justicité : pas besoin de s'en parlementer ni entre quatre yeux ni devant notaire tant ce qui est implicité se trouve à être aussi clairement explicité, en tout cas jusqu'à ce que s'amènent deux faiseux de troubles, deux mangeux de marde, deux crosseurs, deux restants de quilles, deux échappés du grAnd MORiAL, deux corps rompus, sans foi ni loi, capables de tout, mais surtout du plusse pire dans le plusse meilleur boutte de rang du monde ! —

JE DIS : « QUE C'EST QU'ON VA T'Y DONC FAIRE, mon pauvre Bsalon ? » — « j'en sais encore miette, j'y jongle depuis trois jours, je trouve rien pour écarteler la menace et le temps presse, TOBune-son-père et TOBune-sa-mère feront plus de vieux os maintenant que c'est mi-carême, mardi gras et carnavalipopette toués jours dans la meson che eux » — « peut-être ben que BARuch-l'aîné et sopHONie-le-beNjamIn ont d'autres intérêts ailleurs et qu'ils vont s'éclipser avant la prochaine pleine lune » — « ça donne rien de rêver en couleurs et pas davantage en noir et blanc : les deux zinfâmes sont là pour s'y rester. Si je pouvais en douter, ça a fini d'en par là hier quand sur son char allégorique est arrivée la supposée blonde de BARuch-l'aîné : une couplée de gros tetons qui prenaient l'air, une paire de shorts coupée au rasibusse de la touffe par devant et du peteu par derrière, une paire de talons assez hauts pour exciter un quequn qu'on aurait fait plein de nœuds dans la blisounette ! Imagine : quand j'ai demandé à sopHONie-le-beNjamIn qui c'était cette grébiche-là, il m'a répond qu'elle était travailleuse sociale et qu'avant, elle s'occupait d'une garderie pour la titenfance ! Si c'est pas là rire du monde, je me demande ben de quoi c'est c'est qu'il s'agite, l'hostie du ChRISt ! » —

UN BON MOMENT, NOUS SOMMES RESTÉS pour ainsi dire dans le gras l'un de l'autre, à attendre que la balle rebondisse dans un camp ou dans l'autre, mais c'était vesible au quenœil nu que le temps fugible nous avait abandonnés : par la fenêtre ouverte, on l'avait vu se défaire en toutes sortes de tipaquets de lumière, d'abord vive comme les robes des grands bœufs d'exposition d'aBsalon-mOngArçon, puis déteinte comme les serviettes qu'on achète chez PeOPle ou au DOLlarama, si chippette leur teinture qu'une fois passées dans le tordeur de la machine à laver, les serviettes ont toutes l'air d'avoir été attaquées par le vert-de-gris, si inserviettable ça devient que c'est même pas la peine d'en faire des torchonnes — et ainsi se décomposait-il le temps fugitable au-delà de la fenêtre ouverte, comme délichures de mauvais manger en coin de bebouche, comme viande mal ingurgitée en racoin de gorgotonne : tout devient pareil à du racaca d'oie et bien qu'on soye à peine rendu dans le plein du jour, il fait sombre comme en retombée de nuitte pour que l'orage puisse prendre toute la place, un coup de tonnerre en guise de sermonce, puis trois longs éclairs fourchus, puis la poche des eaux du fiel qui crève, puis le vent s'y emmêle et toutes choses deviennent frettes comme quand on rend vesite à un défunt en son cercueil au salon funestre : on a juste hâte d'en ressortir avant que les effets de la décomposition vous sautent dessus et vous déviandent jusqu'à os et mouelle pour l'éternité et pour plus long encore —

JE VOUDRAIS OUVRIR LA BEBOUCHE, JE VOUdrais faire venir dans l'air quelques bribes de la flûte enCHANTée de MOzaRT, comme en ce temps innocent où la soprano coloraturée en mon moi-même pouvait pacifier l'espace juste à cantatriser l'aria en son arioso — mais mes mâchoires sont comme soudées l'une après l'autre, l'air s'y casse les dents, l'air retourne à mes pomons et, pareil comme une infinité d'aiguilles ça s'y plante douloureusementélectrique — que faire et par quoi l'y faire, ô doux jESusjeSubE ? — bien que plus profondément enfoncés dans le gras l'un de l'autre, c'est évident que la réponse à ma question peut pas proviendre ni d'aBsalon-mOn-gArçon ni de mon pauvre moi-même en son muet candide raton : on pense à côté de soi quand la fin du monde est aussi extrême : que faire donc et par quoi l'y faire dong, ô doux JesUsJesUBE adonques ? — « Mouman ! Mouman ! Ah Mouman ! » — si loin sommes-nous en la matière noire de nos désillusionnantes pansées que l'appel d'habaQUq-mon-sEuLtenfant nous est arrivé pour ainsi dire inaudiblable — il a fallu que ça se répète par trois fois pour que sursautant enfin, aBsalon-mOn-gArçon et mon moi-même nous sortions de nos gras l'un de l'autre — « le pauvre cefils ! Comme il se langoustine de moi ! » — j'ai mis un piépié à terre, faisant aussitôt remonter jusqu'à ma tête la douleur de ma cuisse blessée, m'en coupant du coup, net, fret, sec, le peu de souffle pouvant encore se gouverner en mes pomons — « tu bouges pas d'icitte, a dit aBsalon-mOn-gArçon. Faut que tu te reposes. Je vais voir par moi-même pour le cher cefils » — il a bougonné vers la porte sa formidable masse de nerfs, de muscles, d'os et de mouelle, faisant craquer articulations et jointures puis, piépiés retournés par dedans, il est sorti de la chambre, me laissant là en bordure du litte, à reprendre souffle et langue — « Mouman ! Mouman ! Ah Mouman ! » — il s'est enflé fort l'appel d'habaQUq-mon-sEuL-tenfant, on dirait le cri d'un orignal épormyable blessé à mort en forêt d'automne et tournant sur lui-même, ses yeux et ses naseaux pleins de sang — je me redresse donc, me glisse hors du litte, fais un pas, puis un autre : chaque fois que se pose par terre mon piépié gauche, je hurlerais tant ça me fait mal, comme foudroyée par le tonnerre je me trouve, comme transpercée par les éclairs qui mettent le feu à la fenêtre, tant d'embrasement fauvelin, tant de flammes rougissantes sur le parchesi des incendies ! — et quelle tempête dans l'usure ! — et habaQuq-mon-sEuL-tenfant qui entre en transes chaque fois que ça s'abat si orageux sur la meson che nous ! — « j'arrive, mon cher tinange ! Ta Mouman s'en vient, ta Mouman fait aussi vite que possible, mon beau, bon et si chier tinange ! » —

COMME DEUX CORNEILLES NOIRES, ILS S'AGItent aBsalon-mon-gArçon et dame PantAléONne poRtELANCE autour du litte d'habaQUq-mon-sEuL-tenfant mal pris en ses bras et en ses jambes, couvertures et draps tombés par terre, avec presque plus rien de son linge de corps sur lui — aBsalon-mOngArçon essaye de lui ouvrir la bebouche pour que dame PantAléONne poRtELANCE puisse lui faire ingurgiter un plein flaucon de pilules, mais ils savent si peu s'y prendre que le résultat est un mésastre — « Mouman ! Mouman ! Ah Mouman ! » — je vais arriver juste à temps auprès de lui et le prendre dans mes bras avant qu'il se soye jeté à terre, désespéradé, affolisé, terrorisié — « tout doux, mon tinange. Ta Mouman est là, ta Mouman s'occupe de toi, ta Mouman t'aime, tinange de mon chœur ! » — il se calme aussitôt habaQUq-mon-sEuLtenfant, sa tête s'enfonce profond entre mes tetons, puis se déportant vers celui de gauche sa grande bebouche mordaille dedans comme en ce temps de naguère quand le monde ressemblait à un titenfantjesus tout emmiélé de corps et d'esprit, resfleurissant de santé, du moins parlaient-elles ainsi les apparences, le forceps ayant pas encore eu le temps de rien révéler de ses malagissantes tenailles — « comment faites-vous ? a dit dame PantAléONne poRtELANCE. Comment faites-vous donc pour obtenir la paix dans l'aussi aisément ? Même l'orage a cessé dehors : le tonnerre s'est turé, les éclairs s'en sont renfourchés de par che eux, la pluie goutte à peine dans les rigoles, rus et ruisseaux. Si c'est pas là un acte de médium soignant, je me demande ben c'est quoi c'est c'est » — quitte à paraître consenter, je dis rien, sauf par ce regard en coin que j'adresse à aBsalon-mOn-gArçon qui en comprend malheureusement pas l'intention, de sorte que je dois préciser : « va porter che eux dame PantAléONne poRtELANCE, elle en a ben que trop fait déjà pour nous » — « mais non, voyons ! C'est toujours la moindre des choses que d'aider les siens quand ils sont en besoin. Mon bon jÔhny BONngGALOuPpttt est heureux de s'occuper tuseul de notre gîte du passant, ça le varlorise, ça le gandit, ça le rend à bon droit fier-pet. Je peux donc rester icitte che vous tout le temps que ça sera dans le nécessaire » — j'aguis ça m'astiner avec le monde, surtout après temps d'orage, sauf qu'il y a trop d'épées de damoclette suspendues au-dessus d'aBsalon-mOn-gArçon et de mon moi-même pour que je fasuble dans l'autrement — « d'accord, finit par statuer dame PantAléONne poRtELANCE, je pars, mais c'est à une condition : dès que ça s'arrange de ce bord-icitte des clauses, vous venez passer deux ou trois jours che nous avec votre cher cefils. Comme ça, les fantômes vont avoir de quoi avec qui c'est c'est entrer en parlementerie » — j'opine de la bonnetterie pour que ça puisse prendre la porte avec aBsalon-mOn-gArçon et s'en aller avec jusqu'au bord du fleuve, là où s'y gîte le passant, sous un ciel parsemé de corborans et de flous de bassins à cause que la brume s'y pourmène, rien que du blanc sale mangeant safrement le paysage comme c'est toujours de même après un orage de magnititude sept, huit ou neuf, allez donc savoir pourquoi ça se nombre autant toutes ces ombres en profilure de haute mer ! —

SOUS TOUTES SES COUTURES JE REGARDE habaQUq-mon-sEuL-tenfant, et sous toutes ses athlètes coutures je le dodiche, le catine et le catichiste, et sous toutes ses scoulptures je mets le plusse d'amoureuseté que je puisse, par icitte avec ma bebouche en forme de flafleur, par là avec le boutte de mes doigts en forme de brindilles d'herbe folette : ça chatouille le cher cefils, ça l'enjoint de me faire risette et de m'embrasser à son retour, à l'esguimauve, à la micmaquerelle, à la maliciterie, par effleurements de nez, par attouchements des areilles, par mordillages de tetons, par lichages de gras de bras — si heureuse je suis de constater qu'habaQUq-mon-sEuL-tenfant est passé au travers de la fin du monde mal annoncée sans rien perdre de sa ramure et de son ramage, pareil comme ça se passe avec les titebêtes : elles disparaissent trois jours en queque part qu'on sait jamais où c'est c'est, on les croit mortes, on en fait leur enterrement et son deuil puis, quand c'est ainsi tout passé date, voilà les titebêtes qui retontissent avec toutes les humeurs du monde domptées et pacifiées, en pur ravissement et béatitude de retrouvailles — j'en pleure du quenœil gauche tellement c'est félicitant entre habaQUq-mon-sEuL-tenfant et mon moi-même, au point c'en est rendu que malgré ma blessure à la cuisse, j'ai l'envie grande de faire glisser mon cher cefils le long de mon corps jusqu'à l'enclavure de ma flanche et de le porter ainsi jusqu'à la grosse berçante — les chanteaux craqueraient au même rythme que les madriers du plancher, habaQUq-mon-sEuL-tenfant babillerait et babillerirait, tandis que moi, toute soprano coloraturée redeviendue, je lui chanterais l'histoire de la belle sur son tipois vert dormant, si gai, si gai c'est-y quand l'amour s'y rit et s'y vribe ! —

J'EN SUIS À PASSER MES BRAS SOUS LES REINS et les paupaules d'habaQUq-mon-sEuL-tenfant afin de le faire s'abouter à mon anfractuosité quand, sous un inopportun coup de vent, s'ouvre la porte et que, dans son embrasure, apparaissent BARuch-l'aîné et sopHONie-le-beNjamIn — doux jesuSjeSube que ça me prend de court, au point que je manque proche de laisser choir mon cher ce-fils et que j'ai besoin de tout le tichange que j'ai en poche pour le redéposer à sa place dans son litte — « pas accueillante le yiabe trop trop ! » dit BARuch-l'aîné en s'avançant, main tendue et bebouche en culte de poule comme un quequn que l'embrassage lui démange le bas du visage — je fais qu'effleurer la main tendue et je donne que le bord de mon areille à baisouillicher — sopHONie-le-beNjamIn se contente de s'insister dans la grosse berçante, passant la jambe par-dessus le bras pour mieux se gratter le califourchon — chacun de son bord, on se jouque sur son soi-même, on se reluque, on se jauge, on se juge par contuface, question de faire le point après quinze ans d'inconnivence — je trouve que mes deux beaux-frères font un portrait moins inquiétant que celui dressé pour moi par aBsalon-mOn-gArçon : ils sont plutôt accoutrés sobriesquement, ont pas de bagues aux doigts ni de bijoux de fremille aux poignets et dans le col, ni anneaux dorés en perce-areilles — le que-nœil est clairette, le teint roserosé et la bebouche pulpeuse comme quand on mène bonne viandeuse vie et fait bon sommeil en bonnetterie — « t'as l'air dubitatif, dit sopHONie-le-beNjamIn. On peut te demander pourquoi c'est c'est ? » — « ben, vous ressemblez pas aux deux beaux-frères tels que peinturés pour moi par aBsalon-mOn-gArçon. Ça devrait me conforter, mais c'est plutôt les bras du contraire qui m'astreignent » — « Bsalon a toujours été porté par l'exétrémisme, par besoin d'avoir l'air moins follette qu'il l'est en réalité » — « si vous êtes venus icitte-dedans pour m'insulteriser par-devers votre frère, je vous conseille de décabaner dans l'instant même » — « on parle juste pour s'en parler et ça nous fait rien que tu refuses de voir la réalité en sa mauvaise farce » — « que c'est c'est que ça veut dire encore ? » — « rien d'autre que BSalon est pas la tête à PAPineAu, qu'on t'en avait prévenue tout le monde avant que tu te marisses avec lui : t'aurais pu devenir l'égale de la BOLduc, de l'ALBAni ou de CeLINedion tellement t'avais le chantage haut dans le sang. Mais t'as choisi autrement et ça l'a toujours été tel que tel pour sopHONie et pour moi, sauf qu'on a préféré déguerpir parce que ça nous tentait pas d'avoir ça dans le quesseur toués jours » — « ça quoi c'est c'est dans le quesseur toués jours ?» — «ton encabanement par icitte en boutte de rang, ta viepasdevie avec Bsalon, l'enfant que t'as eu de lui et que ça serait mieux que ça soye pas viendu au monde» — «vous m'injuronnez encore, vous salissez aBsalon-mOn-gArçon et vous métissez habaQUq-mon-sEuL-tenfant ! Et ça, je peux pas le prendre ! Allez-vous en, drette là et à jamais !» — «on parle pas pour être mal en bebouche, on jase juste par sincérité et par affectation pour toi» — «vous m'avez toujours traité comme une pasdallure, une pasallableavec, une paspar-lablepour» — «si c'était vraiment le cas, on serait pas icitte dedans en moment tactuel» — «je vous croirais peut-être plusse si vous aviez pas profité de l'absence d'aBsalon-mOn-gArçon pour viendre de par che nous» — «pourquoi c'est c'est qu'on aurait dû savoir que BSalon avait levé le flague ? Porte pas pour rien ton préjudice sur nos bonnes intentions» — «qui sont en quelle sorte et de quel ordinaire ?» — «on a été mandatés par TOBune-sa-mère et par TOBune-son-père pour vous inviter à souper demain soir dans la meson mapaternelle, ton toi-même, le cher tenfant et BSalon» — «en quel rang et thonneur ?» — «pour le simple plaisir de se retrouver tout le monde en familiale compagnée, sans hache de guerre à portée de main, sans couteau qui vole bas, sans clédejambesjaponaise à étouffer raide un grand bœuf d'exposition. Vous allez faire réponse ou pas ? » —

JE SUIS RESTÉE LE NEZ EN L'AIR ASSEZ LONGtemps pour que BARuch-l'aîné et sopHONie-le-beNjamIn se persuadent par eux-mêmes que je prendrais pas positionnement et qu'il était temps pour eux de déguidiner, et c'est avec soulagement que je les ai vus s'escamoter sous les épinettes noires devant la meson — j'aurais aimé rester ainsi le nez en l'air encore un bon moment, juste pour ruminer les nouvelles délivrées par BARuch-l'aîné et sopHONie-le-beNjamIn, mais de terribles odeurs de fienteuse marde en train de fermenter m'ont retroussé dans ma juponerie — « les tipoulets ! » que je me suis dit. Dame PantAléONne poRtELANCE et aBsalon-mOn-gArçon ont dû oublier de les soigner et ça doit pas être beau comment ça se passe et se trépasse dans le soubassement — je suis été vers la porte de la cave, je l'ai à peine entrouverte tant la puanteur m'a forcé à la refermer aussitôt et les yeux pleins d'eau troublefête, la caboche tout en éternuements, je m'ai garroché vers l'évier pour y vomir à m'en sortir le cœur de la poitrine — « Mouman ! Mouman ! Ah Mouman ! » — malgré ma cuisse qui me fait un mal de chienne enrageante, je m'amène auprès d'habaQUq-mon-sEuL-tenfant : comme si les odeurs des tipoulets l'avaient inspiré, il a chié d'énormes étrons et en a tout le bas du corps marbré brun tel un cornet de crème à glace à deux méchantes boules — quoi c'est c'est faire d'autre que de sortir de la poche de mon tablier à tipois verts l'indispensable épingle à linge et de l'assujettir comme y faut sur mon nez avant de mettre en toute maternelle sollicitude la main dans la molle, nauséabondante et autocollante pâte à démodeler ? — « Ah cé bon ma Mouman ! Ah cé bonbon ma Mouman ! Ahouihinhin, ma bonbonbonMouman ! » —

4

Entre le canal de lARd-Tv
et de rebelles grands bœufs
d'exposition, adécuistres,
fefis pequistes et blœufs
de l'ouest s'en donnent
à chœur joie, la nationanalité
toute vibrée à l'envers.

TOUTES LES FENÊTRES DE LA MESON CHE nous sont ouvertes de la cave au grenier, mais ça sert pas le grand-chose d'avoir ainsi fait : il vente pour ainsi dire pas, le soleil plombe d'aplomb plusse que jamais, les toitures des granges scintillent tellement qu'on pourrait les croire incendiées — même les oiseaux restent cachés sous les branches d'arbre, le sifflette coupé par l'humidifiante chaleur qui fait suer juste à se mouver dedans — pourtant, aBsalon-mOn-gArçon a creusé ce trou à côté de la meson che nous, il y a mis des bûches d'érable sur un litte de vieilles gazettes qu'il se prépare à embraser — moi, j'ai poussé le fauteuil roulant d'habaQUq-mon-sEuL-tenfant sous le gros lilas dans l'encoignure du bas-côté, je vérifie les sangles qui lui maintiennent les jambes et les bras attachés aux ridelles, je cale comme il faut la bouteille de KiK-Kola sous son aisselle, je déroule la paille de plastique de la bouteille de KiK-Kola à sa bebouche et je l'encourage, le cher cefils, à siphoner par escousses autant de liqueur qu'il en peut s'absorber — je lui essuie le front, la base du col, son haut de poitrine et son gras de jambe enperlés de sueurs, je l'embrasse par trois fois sur le frontispisse, je lui dis : « tu vas têtre ben icitte à l'ombre pour dormir. Pendant ce temps-là, Mouman va aider Poupa, mais sans jamais s'éloigner assez pour que tu la voyes ou l'entendes plus. Dors, mon tinange, dors » — je lui tapotaile la paupaule, puis je vais rejoindre aBsalon-mOn-gArçon près de la porte de la cave — je mets mes bottes à vache, je m'épingleàlinge le nez tandis qu'aBsalon-mOn-gArçon enfile ses bottes de dresseur de grands bœufs d'exposition et se cache la face derrière un vieux masque à gaz acheté pour trois fois rien lors d'un encan à saint-Jean-de-diEU chez feu diEUdonné Saint-jeAN de la rue jean-DE-dieu saint-JEan — puis prenant nos pelles par leur manche, nous donnons chacun un coup de piépié dans la porte de la cave et nous y pénétrons aussitôt par peur que nous poigne la chienne qui nous ferait revirer de bord avant même d'entrer en besogne si —

ÇA RESSEMBLE AU DERNIER SOUS-SOL DE l'enfer là où c'est c'est qu'on met les piépiés : quand le temps s'est cochonné hier, à écimer les épinettes à corneilles, les nuages sont pas restés en rade queque part au filmmament — ils se sont rassemblés au-dessus de notre boutte de rang avant de se déchirer comme de vieilles toiles de chapiteau mal radoubées et l'eau qui en est sortie s'est fait chemin jusqu'à la cave de notre meson, la transformant en pissiculture — trois pieds de haut que l'eau faisait dans son ensiau lorsqu'aBsalon-mOn-gArçon, reviendu de chez dame PantAléONne poRtELANCE, est descendu dans le soubassement pour voir ce qui y puait autant : une centaine de tipoulets qui meurent neyés dans des eaux déjà malpropres, tu fais pas de parfumrhies avec quoi c'est c'est qui en émane, tu prends plutôt ton courage à deux mains, tu fais partir la pompe refoulante, tu vides la cave jusqu'à son fond de bouette puis, pelletée après pelletée, tu débarrasses le plancher de tous les tipoulets qui sont morts de peur — aBsalon-mOn-gArçon et moi on les jette sur le feu de bûches d'érable et on les regarde devenir des barbeqioutes que même le colonel du Contuki aurait pitié d'eux autres — tant de soins pour rien, ô doux jEsUS-JesubE ! — de quoi comprendrc tous ceusses-là qui en élèvent par milliers où c'est c'est que croît le péril jaune et aviaire si virtuellement pandémique que les tipoulets y sont abattus en séries noires, jetés dans des fosses communes et communisses, puis enterrés dans de la chaux vive — ça ressemble à l'apocalypse quand on regarde ça à la television, mais comme ça a lieu loin et dans des pays que le monde ont l'air de volatiles parce qu'ils se ressemblent comme des gouttes d'eau jaunes à d'autres gouttes d'eau jaunes, on hausse les paupaules et on passe au canal de lARd-Tv, encore chanceux que ça soye pas le cHANTE-clerc de l'edMONd rOStand qui soye montré dedans, avec plein d'acteurs et d'acteuses déguisés en oiseaux de brasse-cour, caquettant, criaillant, cacardant, cocoricotricotant comme des piéperdus, avec plein de haches à deux tranchants suspendus au-dessus de leurs jabots, bèques, quenœils et crêtes —

APPUYÉS DESSUS NOS PELLES, NOUS REGARdons flamber les tipoulets, moi faisant attention pour garder les dents serrées malgré que ma cuisse blessurée me fait si mal que j'en hurlerais à la lune comme chienne en douleur de se mettre bas — aBsalon-mOn-gArçon a été obligé d'enlever son masque à gaz à cause que les larmes risquaient de lui brouiller le quenœil à jamais, ce qui aurait pas été d'avance par rapport à la besogne qu'il reste toujours à faire dans la cave : un piépié de terre au moins à y enlever avant d'étendre du bran de scie de cèdre qu'il va falloir aller chercher aussi loin qu'à saint-SCIEmon étant donné qu'on en trouve plus nulle part ailleurs depuis qu'on a coupé à blanc dans le vif du sujet — quand je viens pour prendre le bord de la cave, aBsalon-mOn-gArçon me met la papatte dessus : « t'as ramassé avec moi les tipoulets morts et t'en as fait assez de même — le soleil est à la toute veille de prendre feu de ce bord-citte de la meson et ça sera plus endurable pour le cher cefils : tu vas rentrer avec lui à la meson et mettre à cuire une fournée de croissants, pains-fesses et gâteaux des anges pour que les bonnes odeurs restent pas indéfiniment sur leur campe-à-soi » — j'ai optempéré sans cheniquer guénille et d'autant plusse allégrement qu'en mettant ma main sur le fronteau d'habaQUq-mon-sEuL-tenfant, je me suis rendu compte que la chaleur s'était déjà attaquée à son cabochon en se faufilant sournoisement entre derme et épiderme, là où c'est c'est que prennent force les coups de soleil avant de se faire cloches, cloques et cloaques en surface de peau — j'ai laissé aBsalon-mOn-gArçon pousser le fauteuil roulant sur la pente douce et antidérapante qui mène à la cuisine, me contentant de suivre derrière après avoir enlevé de mes piépiés mes bottes à vache et de mon nez l'épingle à linge que j'ai glissée dans la poche de mon tablier à tipois verts — j'aurais peut-être dû la garder plus longtemps en sa place parce que ça sent vraiment pas la bonté une fois qu'on se retrouve dans la cuisine, comme dans un blœuf pourri ça ressemble quand le bebé tipoulet y est mort au milieu de son blanc-mange putrésanglifié — tandis qu'aBsalon-mOn-gArçon installe habaQUq-mon-sEuL-tenfant dans son litte, j'allume des bâtonnets de sens et je fais brûler des carrés de camphre aux dattes parce que je veux pas qu'aBsalon-mOn-gArçon s'en retourne drette là dans la cave : j'ai besoin de savoir si ce soir on va t'y aller ou pas t'y aller chez TOBune-son-père et TOBune-sa-mère pour souper avec eux autres en compagnie de BARuch-l'aîné et de sopHO-Nie-le-beNjamIn : « on devait donner réponse avant medi. Serait temps que tu te démonstrationnes dedans tes couleurs » — « moi, c'est une chose à la fois : quand j'en aurai fini avec la marde des tipoulets, je m'occuperai du reste, la ciarge de viarge ! » —

TOUJOURS BOUGON, LE SI DÉSENCHANTÉ aBsalon-mOn-gArçon ! — il a mal pris que BARuch-l'aîné et sopHONie-le-beNjamIn soyent viendus me rendre vesite en son absence, surtout quand je lui ai dit que je les avais trouvés moins pires que ce qu'il m'en avait raconté — son taux de paranoïaque adrélanine a monté tusuite au plafond, et je me suis fait traiter de grosse sansdessine, d'échappée de la meson d'opera du GrandmOriAL! — aux dires d'aBsalon-mOn-gArçon, c'est un piège que nous tendent BARuch-l'aîné et sopHONie-le-beNjamIn, du genre qu'une fois enferré dedans on peut plus s'en sortir avec tous ses morceaux: si on veut pas y mourir de malemort on doit agir comme le renard quand il se fait prendre une harlapapatte dans les tenailles d'un piège: il se gruge cette harlapapatte-là jusqu'à l'os, quitte à aller défuntiser au boutte de son sang au fin fond de sa tanière — j'ai retorqué à aBsalon-mOn-gArçon qu'il était souvent porté à exagérationner et j'aurais pas dû parce que je me suis fait remettre vitement la monnaie de mon emportepièce: « t'as failli te marier avec BARuch-l'aîné! meugle aBsalon-Mon-gArçon. T'as cassé par deux fois nos fiançailles et manqué proche de rester à la meson che vous plutôt que de venir me rejoindre à l'église notRE-NeIge-des-damES ce samedi-là qu'on convoilait ! » — j'ai laissé dire aBsalon-mOn-gArçon, pas parce que j'étais pas en mesure de lui faire repons, mais parce que je suis délacée, répuisée, abastourdie, voir tannée à mort de me justifier aussi souvent pour rien: mes bris de fiançailles et mon retard à me présenter à l'église de romeunesque culte, ça avait rien à voir avec BARuch-l'aîné — s'il me faisait du plat et du sousplat, j'en avais pas grand-chose à me manualiser avec, mes hésitations venant d'ailleurs : dès avant que je me marisse avec lui, il arrivait à aBsalon-mOn-gArçon de prendre son gros nerf par la queue et sans même avoir de quoi à brailler dessus, ça survenait sans raison, ça faisait flammèches et flambèches, gros bras et gros mots, puis ça s'arrêtait comme ça avait commencé, au milieu de n'importe en quoi — et puis, mon défunt père qui l'était pas encore me poussait dans le dos pour que je lâche pas le chant, la chorale et le chœur de l'harFANg-des-neiGEs : il me promettait de m'aider à passer au travers des mois de vaches maigues, il me faisait miroitonner toutes sortes de diamants du canADADA comme font les politichiens fifs fefis et adécuistres en campagne électorale, union familière par icitte, unité binationanale par là-bas, bilingres cuisses en-deçà des brocheuses et blédingues frusques au-delà — il était prêt à tout me rabandonner mon défunt père qui l'était pas encore, en pure dépense orale d'hypocrisie : il voulait juste que je parte pas de la meson parce qu'il savait même pas se faire cuire un blœuf, ni laver son linge sale, ni comment c'est c'est faire pour se tremper le pinceau quand ses amourettes se mettaient à enfler pareil à des barbajoues de gros crapotte que le sexuel vire à l'envers (tous les prétextes lui étaient bons à skier pour venir se frottailler dessus moi, de préférence si j'avais la tête dans le fourneau, le frigidaire ou la machine à laver — il me tenait par mes dessous de gras et me demandait de lui chanter du VERdi, lui qui aguissait l'opéra pour vouloir le tuer juste à l'entendre — rien d'autre que du pas pudique zigonnage que j'aurais dû dénoncer à la chienne policière plutôt que de faire la quequne qui se rend comptable de rien, par intérêt pour un prétendu capital qui me reviendrait après la mort de mon défunt père qui l'était pas encore — et quand mon défunt père qui l'était pas encore s'est enfin délesté de ses nerfs de jambes et de bras, j'en ai rien retiré : il avait tout hypothéqué, meson, lhangar, voiture, quateroues, deuroues, beciquagaz, courtepointes, édredons, endouillettes, traverseseins, bas de laine, fonds de terroirs et terrines à tibois verts afin d'assouvir sa passion par-devers LotO QUEbec !) —

AINSI JE JONGLE SOMBRE EN PÉTRISSANT LA pâte de mes croissants, pains-fesses, gâteaux des anges, et c'est si désespérant toutes les fois que je me laisse saillir par les images que j'ai de mon défunt père avant que ça meure enfin pour de bon! — j'ai besoin de pencher vers l'ailleurs pour m'en débarrasser, en d'autres temps mieux avenus, comme quand j'étais pensionnaire chez les sœurs de la PROVIdEnce de queBEC en la belle ville de reMOUski, avec une mère supérieure qui me prenait pour ce que j'étais, qui m'aimait pour ce que j'avais, un beau gros culte et une belle perchante voix, comme filet formignon, de soprano coloraturée — je m'ennuie parfois de cet entemps-là: l'innocence, même un brin pervertie, c'est ce qu'on trouve de mieux dans la vie parce que ça s'offre sans derrière de pensée, pour le seul plaisir de s'y complaire, par notes s'emportant, joyeuses et zamicales, de si de la, sur sol, en mie de pain à dos doré, qui fa rire à gorge déployante, si si, je vous le jure, sans bémol ni dièse, ni zuts ni uts, voui, voui, réellement ! — je bebérise quand je jongle ainsi en pétrissant la pâte de mes croissants, pains-fesses et gâteaux des anges, je m'onomatopérise, je deviens pareille à habaQUq-mon-sEuL-tenfant, je papale, je fais isette, je tessaille des pau aules et des ié iés, ça me dongue bonne bebouche, je suis teuweuse, ontente, éyonnante et oleilleuse des arteilles au boutte de mes geveux, ça me porte au point que je vais en oublier ma blessure à la cuisse et me rameuter du bord d'habaQUq-mon-sEuL-tenfant, les doigts recouverts de pâte pour croissants, pains-fesses et gâteaux des anges que je vais lui donner à suçoter, comme un tiveau qui prend son popouce pour une gargamelle de vavache et s'y banbandonne, meuoui, meuoui, profitons-en, toi mon cher cefils, moi ta Mouman si mèreveillante, si merveillée, si mère veilleuse, ô doux jEsUS-jEsuBE, ah béni oui oui soitusse ! —

ABSALON-MON-GARÇON AIME PAS ME VOIR quand je reneguesse ainsi en créwaules pawoles et awtions, il prétend que j'encourage le cher cefils à rester dans les relilimbes : « si tu lui donnes tout le temps tout ce qu'il veut, pourquoi il voudrait gandir de corps et d'esprit ? Pour arriver à queque chose, tout le monde a besoin de se faire parfois botter le culte et sonner la clochetonnerie ! Autrement, ça reste là où c'en est, pas fortentête et pas intéressé à le deviendre ! » — je sais bien qu'aBsalon-mOn-gArçon a raison en son général : lorsque le monde a toute sa sainteté, c'est normelisant qu'on lui pousse dans le dos et l'endos, mais si c'est pas le cas comme dans le cas d'habaQUq-mon-sEuL-tenfant, on est obligé d'admettre que l'infirmité rend infirme n'importe quelle règle de grand-mère, avec handicap ou pas de handicap — comme je suis toutefois pas de ceusses qui aiment courir au devant des coûts, j'encourage le cher cefils à me dépâter les doigts le plus rapidement possible pour le cas qu'aBsalon-mOn-gArçon se manifesterait à l'impromptu de son almapater, trop écœuré par les méchantes odeurs de tipoulets pour rester dans la cave à pelleter la bouette sodite — quand je reprends mes doigts en la bebouche du cher cefils, il manifeste tusuite son déplesir en se poignant le beigne à deux mains dans l'intention vividente d'y faire mousser son créateur — pour la forme, je donne quelques talochinettes à la guelaille dressée en mât de fortuneuse lastiquité, puis je retourne à mes fourneaux : ça sent déjà le bon croissant demi-lune, le pain-fesse doré, le gâteau angélé, signes que ça va être cuit à point dans les menutes qui viennent, de quoi me laisser le temps de jeter encore une fois un coup de quenœil sur habaQUq-mon-sEuL-tenfant — lui si mollasson en toutes choses, comment ça s'explique-t-il qu'il soye aussi entreprenant et aussi efficace lorsque l'envie de se manualiser lui prend ? — on dirait jamais que son bras lui fait défaut, pourtant tout anarchique dans ses orientements dès que son sexuel s'est contenté et que ses handicaps reprennent le dessus : juste tenir une tasse comme il faut, c'est déjà trop pour les deux mains d'habaQUq-mon-sEuL-tenfant ! — « Mouman ! Mouman ! Bon bon, Mouman ! Ah ouin, ah ouin, ah Mouman ! » —

J'AI À PEINE EU LE TEMPS D'ALLER JETER UNE couverture sur le corps délictueux qu'aBsalon-mOn-gArçon monte de la cave, quatre tipoulets aux têtes coupées, plumés et éviscérés, en chacune de ses mains : « ils s'étaient réfugiés dans l'ancienne soute à charbon, bâtie plus haute à cause du cran de tuf sur lequel ce coin-là de la meson est assis. Fais-les cuire. On les emportera avec nous autres quand on ira souper t'à l'heure chez TOBune-son-père et TOBune-sa-mère » — je suis assez surprise d'entendre le propos d'aBsalon-mOn-gArçon que j'en reste le tidoigt en l'air, à flairer par quel bord vient le vent, tandis que les tipoulets se retrouvent l'un après l'autre sur la table, comme une titecorde de bois de pin blanc à quoi ça ressemble, avec de fortes plaques rougeoyantes à hauteur de falle, pareilles à des délichures d'écorce qu'on aurait oublier de dépiauter — « reste pas là plantée comme un méchant piquette de clôture ! que dit aBsalon-mOn-gArçon. Fais ce que dois, l'hostie ! » — « ben » — « ben quoi c'est c'est donc encore ? »

— « je pensais que la décision d'aller ou non chez les seigneurs TOBune, on la prendrait ensemble » — « t'étais pour avant que je m'en aille dans la cave » — « je souhaiterais qu'on s'en jase quand même par rapport que beaucoup de questions restent sans réponses » — « mets les tipoulets à rôtir. Moi, faut que je me lave la caleçonnerie » — il file tusuite vers notre chambre aBsalon-mOn-gArçon, me laissant avec les tipoulets à apprêter pour le four — je bourre les falles de riz sauvage, de morceaux d'oignon espagnol en losanges, de morceaux de céleri en frisettes, de morcelés de carotte en gripettes, je badigeonne croupes et pattes avec de l'ail des bois coupé à blanc, j'y saupoudrise ciboulaitte, persiflage italien, thymtin, saugefollerie et feuille de larrier, je pose par-dessus les couvercles des rôtissoires puis, après avoir enlevé du four les croissants, les pains-fesses et les gâteaux des anges, j'y mets à cuire les tipoulets — je m'essuie les mains après mon tablier à tipois verts, je vais vers le litte d'habaQUq-mon-sEuL-tenfant qui s'est endormi et qui ronfle comme après chaque fois qu'il s'est manualisé — son bras gauche pend le long de la ridelle et je le remets avec le droit, faisant se croiser les doigts entre eux (quand il va se réveiller, habaQUq-mon-sEuL-tenfant va s'illusionner en sa matière grise et croire que ses mains sont emprisonnées aux ridelles de son litte, et le temps qu'il va prendre pour se rendre compte qu'il a méjugé, c'est autant que je gagne pour mon moi-même) — les tipoulets étant maintenant bien saisis dans le four, je ramène le thermostat à trois cents degrés puis, dans ce qu'il me resterait encore à faire dans la cuisine, je choisis ni l'un ni l'autre : je m'en vais plutôt tout drette vers la porte de la chambre que je pousse du piépié pour mieux m'y perpétrer sans autre préavis ni invitation —

UNE FOIS QU'ON EST DE L'AUTRE CÔTÉ DU miroir, on y trouve pas toujours ce qu'on s'attendait d'y voir : sa personnalité toute flambant nue, aBsalon-mOn-gArçon a la moitié du corps passé dans la fenêtre et beugle comme si on était au beau mitan d'une nuitte de grosse lune — je sais bien qu'il s'adresse à ses grands bœufs d'exposition qu'il est pas allé soigner depuis que BARuch-l'aîné et sopHONie-le-beNjamIn sont reviendus dans le paysage, mais ça fait quand même dur à entendre pour une areille aussi finefinaude que la mienne que je suis greyée avec — ce que répondent à aBsalon-mOn-gArçon les grands bœufs d'exposition, c'est de la lamentation pas ordinaire, comme quand les bêtes se meurent de faim dans leur pacage devenu mirage, comme quand elles s'embrasent parce que le chemin des incendies s'est rendu jusqu'à elles, comme quand on les palente en dessous des grandes portes du fenil et qu'on leur plante un long couteau de boucherie en plein cœur — pour que prenne fin le désastreux concert, pas moyen de faire autrement qu'en cette manière : je me dévêtifie de mon tablier à tipois verts, je me déjette hors de ma robe à tipois verts, je me défais de mon soutien-gorge et de ma titeculotte à tipois verts et, sans me formaliser du fait que saigne par-dessous son pansement ma blessure à la cuisse, je vais me glisser entre la fenêtre et aBsalon-mOn-gArçon, m'allongeant dans mon cou autant que je peux pour être sur la même longueur de lamentation que lui — tandis qu'aBsalon-mOn-gArçon beugle dans le grave autant qu'il le peut, moi je meugle dans l'aigu autant que je veux — les grands bœufs d'exposition répondent, leurs moumans les vaches aussi, leurs cefilles les taures et leurs cefils les taurillons se joignant enfin à la chorale de l'HARfang-Des-neIges en cette fugue canonique digne du grand buxTEhuDe que ses vagues nerfs ont jamais eu raison de son bachgronde — bien que ce soit inattendu de sa part, aBsalon-mOn-gArçon se met à danser, dessus un piépié dessus l'autre, et je me sens obligée de me défaire comme lui si je veux pas mourir étouffée raide entre ses grosses mosselles de corps et le cadre de la fenêtre — je me crèrais à l'époque des violons longs de l'automne tellement zigue la mesique dans mes areilles, un méchant concert qu'anime aBsalon-mOn-gArçon, sa blaguette magicieuse enfoncée profond en mon trou du culte, ça va et ça vient en crascades, en frafales, en bourrasquintes hautement paralympiques qui vont fenir par toute me déchirer par dedans et je serai des jours et des jours à plus pouvoir m'assire en queque part comme du monde, dessus un bord de fesse ou dessus l'autre, l'anfractuosité pareille à une grosse bebouche meurtrie et enflée de boxeur qui s'est fait cogner dessus le cabochon pendant douze rondes — c'est dur pour le portecrottes autant de zigonnage, pistonnage et ramonage, c'est dur aussi pour l'entête qu'on dirait que toute l'électricité d'hygROQUEbec se décharge dedans, j'en perds souffle, j'en pète sourd, j'en saute la groche, je m'en fais remplir à ras-bord de flumière néguesse, j'en porte plus à terre parce que malgré la drouceleur qui m'agrandit de flaure et de fonne le trou du culte, je peux pas plaire autrement que de m'éjouir tellement je suis pas malaucœureuse quand il s'agit de phoqueniquer jusqu'à ce que la banquise ressorte à cinq heurts et vire brusquement d'un seul coup de fouette en blanc-mange amonstramant éjaculé — que c'est bon, doux JEsusJEsube ! — que c'est bon long et longtemps, ô doux jususJUSube ! —

COMME LE CROISSANT, LE PAIN-FESSE ET LE gâteau des anges quand on met dedans trop de levain, la pâte finissant par couler le long des moules de fer-blanc, aBsalon-mOngArçon et mon moi-même on se retrouve tout dégoulinantineux, avec des jambes tellement ramollissées qu'on a glissé le long de la fenêtre et qu'on en reste là, disloqués, éreintés et zessoufflés, le gros nerf d'aBsalon-mOn-gArçon tout découetté, en déchiffonnure globale, et mon moi-même tout dépassé et trépassé en mon tinerf de trou du culte en boyale dégelée de pembina — que voulez-vous : quand on a plus l'âge de se concerter avec de grands bœufs d'exposition, on devrait se montrer moins empressé par rapport au sexuel, on devrait se dire qu'une fois par mois ça suffirait à liquifier le méchant qui s'est accumulé dans les parties monteuses et sales, quoique ce serait attristant en pas pour s'y rire de devoir se priver d'un peu de plaisir, la vie en manquant tellement par ailleurs, si massacrante en sa bagatelle quotidienne qu'on cesse pas de faire les queues de veau pour pas perdre le pneu qu'on a alors que tout le monde travaille fort pour te l'arracher, bon gué mal greyé, peu lui chauffe, peu m'y réchauffe, c'est la vie, c'est la visse sans fin qu'on te transperce avec, qu'on te cloue avec sur le mur des menstruations, des lamentables mictions, qui changent rien, sinon pour le pire, l'épitre et l'empire de plusse en plusse expirant, de moins en moins remplissable et rincepirant — tandis que de se faire saumoner la truite, même si c'est par son trou du culte, quel délacement dedans ses cordeaux c'est c'est, si glousses enfin, et cette grosse qlueue de guevalle qui se dépistonne en tes rhumeurs, qu'elle vienne et qu'elle boulezaille jusqu'au trognon de la chigne car ça fait si tant du bien de hurler pour autre chose que du désâmage en crassieuses images comme noire chiée noise dans son fond d'encriyétude ! —

J'OUVRE LE QUENŒIL, MAIS C'EST PAS LE BON, et deux pouces plus loin que le nez j'y vois rien que le flou et le flondant — j'ouvre l'autre, c'est guère mieux que de l'à peu près encore, comme des semblances de formes non identifiables qui se pourmènent devant ma face tels des tibonhommes et des titebonnefemmes en papier mâché, mal sculpturés, peut-être en curieuses bêtes de l'apopalypse, grifflons, licournes, sphinxters, chimerdes et tibœufs d'exposition veuglant, reuglant, meuglant, feuglant et beuglant, voix de barrissons, voix de sténors, comment savoir, pourquoi savoir quand, après avoir été enfoncée aussi loin dans le vif de mon sujet, j'en suis restée mollassonne et collassonne de partout, avec deux points j'ai de déjouissance en ma cuisse blessurée que les spasmes du givre sont poignés dedans, en mon trou du culte que le feu y chauffant fort a pas l'air pantoute de vouloir s'éteindre dans les menutes qui viennent — cognent les clous dans la caboche, y sévissent les vices en chair feble et eau troublée — ô doux jEsUbE que je voudrais ben que rien me fasse sortir de ce bon bien-là ! —

« SI T'AS L'INTENTION DE RESTER ÉTAMPÉE là sur le mur, dis-le clairement parce que sinon, moi je vais décabaner et prendre tu seul le bord de chez TOBune-son-père et de chez TOBune-sa-mère, la chRISt ! » — la voix d'aBsalon-mOn-gArçon sonne si ferrailleuse dans mes areilles que je suis bien obligée de laisser là ce qui s'éjouit toujours en moi pour refaire surface et m'étonner qu'en aussi peu de temps, aBsalon-mOn-gArçon en aye fait autant : il a pris une douche, s'est caleçonné à neuf, a revêtu l'habit du grince qu'on sort, chemise blanche, cravate à tipois verts, souliers italiens à l'antienne, fort pointus, avec ganses par-dessus les lacets et effigies dorées de têtes de grands bœufs d'exposition par-dessus les ganses — et son épaisse chevelure si hirsute en temps sordinaire et vréel, voilà qu'aBsalon-mOn-gArçon a fait bon ménage dedans : c'est toute renvoyé par en arrière et ça se tient tranquille à cause que le gel a pogné dedans et pour longtemps — je prends de la main assise sur l'appui de la fenêtre et j'essaie de me soulever la corpulence jusque-là, mais ma cuisse blessée et mon trou du culte en feu me rabaissent aussitôt le gasquette et je resterais longtemps ainsi, seule à terre, à me ramasser dans mes mornifiants morceaux, si aBsalon-mOn-gArçon me tendait pas la main pour me forcer à faire plus vite : « lave-toi pis change-toi parce que le temps va manquer betôt » — pas drôle de reprendre piépié quand ça frince partout des dents en ton toi-même ! — je dis : « pourquoi tu m'as laissé dormir ? » — « t'étais pire que dans le coma, pas réveillable ! » — à cause de ma cuisse blessée et de mon trou du culte que ça s'élance dedans sans équipollence avec rien de connu, je m'accroche après ce que je peux, et ce peu-là prend la forme des tipoulets qui doivent maintenant être noirs comme chardons ardents dans le four — « je m'en suis toccupé, que dit aBsalon-mOn-gArçon, et je me suis toccupé aussi du cher cefils. Ça fait que que grouille-toi le culte si t'as toujours l'intention de venir avec moi chez TOBune-son-père et TOBune-sa-mère ! » —

QUAND LE MARABOUT BOUGONNE, TU SErais dans le mâlàpropos de t'astiner avec lui — tu le regardes plutôt déguidiner, puis tu te traînes dans la salle de bains, tu te regardes dans le miroir et ça fait dur en queue de poêlonne ce que t'as brusquement devant les quenœils : tout décati c'est, avec plis, emplis, déplis et replis, de quoi te prendre pour une accordéonne qui a couru long l'harlapatte en veillée funeste, à ce point-là que le chœur a chuté vers le bas et bat la charade là où c'est c'est que le trou du culte saigne comme un blœuf — je débouche le fiasque d'huile du saint jOSeph acheté par aBsalon-mOn-gArçon la dernière fois qu'il s'est rendu dans le GRAnd moriAL en espérance d'obtenir patente pour son invention de la roue carrée, je m'imbibe comme il faut l'éponge et me la passe plusieurs fois dans la raie en me disant que si le froid englace les montagnes, ça devrait pouvoir guérir aussi un simple trou du culte — pour ma cuisse que le pansement est tout imbibé de sang, il me faudrait trop de temps pour la greyer en neuf: je vais simplement mettre par-dessus un bas lélastique et ça va tenir aussi serré que le ferait un garrot — il me reste maintenant à me débarbouiller figure, dessous de bras et gras de corps, à me beurrer épais de fond de teint, à m'onctionner d'eau de COLOgNe, à me geler la lourde tignasse rousse avant d'enfiler ma robe à tipois verts et mes souyiers aiguilles en cuir patin — et ainsi tout le tour s'étant joué, je peux enfin sortir de la salle de bains sans même avoir eu le temps de jeter le moindre cling de quenœil aux encadrements des grands bœufs d'exposition qui encombrent les murs en galerie de lard, à fuir sans déplaisir ces grosses bêtes et grosses têtes, avec anneaux dans le nez et tiquette modérateur à l'areille —

«QUE D'ÉMOIS, QUE D'ÉMOTIONS!» ME dis-je tandis que nous faisons route vers la meson des seigneurs TOBune, moi me tenant après le bras d'honneur d'aBsalon-mOn-gArçon qui pousse devant lui le fauteuil roulant dans lequel habaQUq-mon-sEuL-tenfant bat des mains comme toutes les fois (par ailleurs aussi rares que de la peau de chagrin) qu'on prend chemin pour aller en queque part — ça sent bon et c'est pas seulement à cause des tipoulets, des croissants, des pains-fesses et des gâteaux des anges que nous emportons avec nous autres: l'orage qui s'est ébattu dessus nous hierpastarddanslaveillée, suivi ce matin par un soleil de plombage ardent, ça a brassé fort dans les plantes fourragères qui exhument, exhalent, s'exondent et s'exposent, toutes extrorses ou autrement, de quoi s'en remplir la pansée en faisant vite puisque la meson des seigneurs TOBune c'est la porte d'à côté et qu'on va se retrouver devant dans pas long — ben sûr qu'avant d'y arriver, j'arais aimé avoir discussion avec aBsalon-mOn-gArçon sur la façon qu'on devrait se comporter une fois dans la meson che eux, mais à l'impossible nul n'est redevable ni derivable : fais ce que dois, sais ce que vois, tais ce que —

DOUX JESUSJESUBE ! — EN MÊME TEMPS, on en a eu les sabarcannes coupées, aBsalon-mOn-gArçon et mon moi-même, et ça serait sans doute pareil pour habaQUq-mon-sEuL-tenfant s'il avait pas les yeux pleins de brans de scie à force de vouloir gober les drosophiles qui virevoltent autour de nous autres — « que c'est ça ? Que c'est ça, l'hostie du ChrisT ? » se demande aBsalon-mOn-gArçon, sidéré autant que je le peuve par ce que nous donne à voir la devanture de la meson des seigneurs TOBune — imaginez : devant la meson, deux sapins greyés de lumières comme en temps de NOUellE avec, entre eux, une crèche plus grande que mature, des mères moutonnes et leurs chers cefils et cefilles, une ânesse et un grand bœuf d'exposition entourant une mangeoire-grabat dans laquelle dort l'ENfant-jeSUS bordé par la sainte AnNE sa mouman et par le saint DJOSeph son poupa, un trio d'anges se balancinant au dessus d'eux autres ! — imaginez encore : il y a de la neige aussi tout autour, immaculante autant que l'est le blanc-mange quand, précocement, ça s'éjacule au boutte de la blaguette magicieuse d'aBsalon-mOn-gArçon — imaginez rencore : tout autour de la galerie, des guirlandes frangées dont les lumières flashent à toutes les dix secondes et, sur le toit, l'étoile du NAZarEth qui brille de tous ses fieux ! — « tu me croyais pas quand je te disais que BARuch-l'aîné et sopHONie-le-beNjamIn sont tous deux virés sur le couvert ! me meuglisse à l'areille aBsalon-mOn-gArçon. Est-ce que ça devant nous autres trois en est pas la preuve par Ah plusse bloeuf ? » — je suis ben obligée d'assentimenter quoiqu'on célèbre ces jours-citte en la belle ville de remouSKI la noUELle du camionneur, qu'à SQUATec on fête la naTIVIté parmi les roulottes du simple d'esprit, avec tentes et chapiteaux sur roues, qu'à sAint-eLeuThÈRE du PohénégamouQue c'est déjà le jour de l'an pour les béciques à gaz fefis et qu'à neigette-dessus-ses-hAUTEURS on convie tout le monde aux grandes messeschouis des rois-mages — que voulez-vous : quand ça fait dur partout à l'année longue, on finit par se barrer les piépiés dans les dates du calendrier et on sait plus quoi inventer pour pas grimper dans les rideaux de la dépréciation nerveuse — « que c'est qu'on fait ? je demande à aBsalon-mOn-gArçon. On met les pieds par devant ou ben à reculons ? » — « astheure qu'on est là, soyons-y, la maudite marde ! » qu'il répond en poussant le fauteuil roulant d'habaQUq-mon-sEuL-tenfant vers la galerie — quand on passe devant le grand bœuf d'exposition que les naseaux fulminent, il beugle aussi fort que le fait une corne de brume fâchée lousse au milieu du fleuve par une nuitte salopante — « ta yieule ! » lui retorque aBsalon-mOn-gArçon avant de tirer sa chevillette à la bobinette pour que nous puissions enfin passer le pas de porte de la meson des seigneurs TOBune, nos nerfs bandés raide en nos corps, puisque se pose tu-seule la question préallable : dans quoi, ô doux jeSuS, allons-nous aluner, dans son meilleur ou pour son pire, comment savoir ? —

UNE FOIS REFERMÉE LA PORTE DE LA MESON des seigneurs TOBune, une première surprise nous attend sur piépiés fermes : c'est dame PantAléONne poRtELANCE et jÔhny BONngGALOuPpttt qui nous accueillent, avec chacun un verre de gros caribou à la main — « bonne soirée, gros nez ! Belle veillée, grandes dents ! » — « que c'est ça ? Que c'est c'est ça donc ? » demande aBsalon-mOn-gArçon aussi désorienté que mon moi-même — « on a été engagés pour préparer le buffet et décorer l'intérieur », répond dame PantAléOnne poRtELANCE avant d'avaler, grimaçante, une gorgée de gros caribou — nous, on reste bouche bête, on sait plus quoi regarder et comment le regarder : dame PantAléONne PoRtELANCE et jÔhny BONngGALOuPpttt costumés comme des pingouins ou ben la surabondance des guirliguirlandes, des feuilles de guiliguili accrochées en grappes sur les murs, des mobiles d'enguirlanges, de flaucons de neige, de santaclauSS-barbisses suspendus aux cadres de porte, des jeux de luminaires bordant les boiseries des fenêtres, des serpentenguilinsbarrés se tortillant sur eux-mêmes dès que ça vente le moindrement proche d'eux autres, ou ben encore la table étirée dans tous ses planneaux, recouverte d'une nappe rouge à nocifs de ti-pois verts, dorés et bleus dont les entrelacs dessinent un sapin chargé de traînes sauvages et d'étrennes — « que c'est ça ? Que c'est c'est ça donc ? » demande encore aBsalon-mOn-gArçon dont la tête, comme la mienne d'ailleurs, tourne comme girouette de tous bords et de tous côtés — c'est comme si on nous enlevait le plancher dessous les piépiés, c'est comme si les murs jouaient de l'accordéonne à nos dépens, se rapprochant de nous, puis s'en éloignant, tirant d'un coup tout l'air disponible dans la cuisine, de quoi rendre n'importe en qui chambranlant dedans son manche — oserais-je une question tandis qu'aBsalon-mOn-gArçon siffle d'un seule lampée le verre de gros caribou que lui a offert jÔhny BONg-GALOuPpttt ? — « où c'est c'est qu'y sont les autres ? que je demande. Où sont TOBune-son-père et TOBune-sa-mère et BARuch-l'aîné et sopHONie-le-beNjamIn ? » — la réponse vient de l'encadrure de la porte du salon où se tient BARuch-l'aîné que la tête, chargée de paillettes, brille comme celle de MoïsE quand il portait les tables de la loi dans l'anchien du teSTEment : « la bonne nouvelle ! C'est pas trop tôt qu'elle nous arrive enfin ! Venez, devins monsieudrames ! Hâtez vos tipas avant que joue le haut bois, que raisonnent musettes en leur avènement, que chantent pequistes fefis, adécuistres pepis, liberaux féfourrant et conversateurs des brocheuses comme oranges tout le temps dans nos campagnes électorales ! » — chaudaille pas rien qu'un peu le BARuch-l'aîné que la langue se cochonne déjà dedans la bebouche : « Ah ! Dorons-le tous ! Ah ! Dorons-le tous ! » — j'ai remis croissants, pains-fesses et gâteaux des anges à jÔhny BONngGALOuPpttt et les tipoulets rôtis à dame PantAléONne poRtELANCE, puis derrière aBsalon-mOn-gArçon je pousse le fauteuil roulant d'habaQUq-mon-sEuL-tenfant vers BARuch-l'aîné et la porte du salon — « vous jouez à quoi c'est c'est, le calvaire ? » demande encore aBsalon-mOn-gArçon — « entrez voir et ça va se laisser entendre de soi-même ! » — oserons-nous l'y faire ou bien ça vaudrait-il mieux de virer carré sur nous-mêmes pour déguerpir sans demander nos restes de croissants, pains-fesses, gâteaux des anges et tipoulets rôtis ? — dans le doute, on s'abstinente, mais dans la redoute, comment s'abstenir sans au moins apaiser avant une fort légitimeuse curiosité ? — « entrons ! que je dis à aBsalon-mOn-gArçon. Si c'est pas de notre goût, la porte changera pas de place si besoin se trouve pour nos nous-mêmes de la repasser ! » —

AINSI FAISONS-NOUS POUR AVOIR DEVANT LES yeux cette deuxième surprise qui nous attendait : du salon, tous les biens meubles ont disparu, emportés par la frénésie du temps des fêtes — un tapis rouge a été déroulé du seuil de la porte jusqu'à l'extrémité du salon où un podium d'au moins une verge de hauteur a été installé — sur le podium, le fauteuil d'apparat de TOBune-son-père, tout de velours rouge et braquetté de braquettes dorées — dans le fauteuil, portant sur la tête couronne érodée des ancêtres et tenant à la main le spectre autorisé de ces mêmes ancêtres, fait du sexuel d'un grand bœuf d'exposition tourné à la main et poli au papier sablé extrafin, trône TOBune-son-père, peu de lard sur les côtes, mais hilare par sa grande bebouche fendue jusqu'aux areilles ! — le pourquoi de sa joyeuseté, on serait bien en peine de l'indexifier, car à quelques harfangs de neige de son trône, le spectaque est pas du genre qu'on rit parce qu'on le trouve drôle : si TOBune-sa-mère trône elle aussi, c'est sur les genoux de sopHONie-le-beNjamIn qui la chatouille, la baisouille, la pelotouille, la becquetouille, la guiziguizouille et la papapapouille en toutes ses anfractuosités de peau tandis que derrière le fauteuil se tient deboutte la cefille des étoiles, au nombre de cinquante-et-une bien comptées si on prend pas en considération que la blaguette qu'elle tient à la main, couleur feuille d'érable en mouesson d'automne, a dix bovinces et un merritoire esquimoté en eau rare boréale bien qu'y coule à flinflots le gros caribou ! — jusqu'à la fin du temps des fêtes, on resterait ainsi interloqués aBsalon-mOn-gArçon et mon moi-même si TOBune-son-père, faisant tonner le tonnerre et zigzaguer sur les murs les zéclairs sortant de son spectre, nous disait pas que l'heure est venue de nous tapprocher de lui — pour ma part, j'aurais préféré laisser habaQUq-mon-sEuL-tenfant aura de la porte, mais un coup de tonnerre lapidaire m'en dissuade — on s'avance donc, mais c'est pour ainsi dire à reculons tellement ça manque d'entrain — « tigas ! Tigas ! Tigas ! » que psalmodie TOBune-son-père en faisant du boutte de son spectre signe de croix bleue sur habaQUq-mon-sEuL-tenfant qui s'écrie : « Ah Mouman ! Cébon, cébon ! Ah Mouman ! » — puis s'y hilare le cher cefils alors que TOBune-son-père fait mouvement inverse pour que sa bebouche fendue jusqu'aux areilles se referme en forme d'huître et serrement de test — ainsi se transformettent les valeurs pafermiliales et hilarantes, de l'aïeul au fieul, sans fefinage ni fefillage, pour les envies des uns et les avis des autres en siècles à advenir et à advernir — du moins, c'est dans cet ainsi de l'à peu près que s'exprime la bebouche d'ombre en bas de visage de TOBune-son-père — il prend par après une grande bolée d'air, puis m'attouche de son interloquent spectre : « aux nombres du plaire, du fil et du plein texte pris l'amen dans le sacre à main, je te bénis, oui oui ! Paîs en ton toi-même, flemme de bonne faux, long thé et plain-fesse ! » — sans doute parce qu'il est originaire de l'île de jERSEy comme les vaches qu'il avait avant qu'aBsalon-mOn-gArçon les remplace par ses grands bœufs d'exposition afrorouquins, le seigneur TOBune a juste à boire deux verres de gros caribou pour que langue et badingoinces se mettent à licher les mots qui se délippent de sa bebouche d'ombre, faisant disparaître les consonnes gutturales au profit des labiales, comme ça arrive à un baryton qui se prend les testicules en queque part que ça serait mieux pas et qui en devient du coup sténor pour usage privé du fefi toréador — rien que de m'y panser, je peux plus retenir un gloussottement et aBsalon-mOn-gArçon me donne un coup de coude dans les côtelettes pour que j'écoute mieux ce que le seigneur TOBune a à lui dire : « parle-moi de nos grands bœufs d'exposition. Qui sont-ils ? Que font-ils ? Et pourquoi le sont-ils et le font-ils moins bien aujourd'hui qu'hier si je me fie aux rumeurs qui montent jusqu'à mon moi-même ? » — que le seigneur TOBune ait retrouvé aussi facilement ses gutturales consonnances est bien le signe que la minute du patrimoine est grave et que la réponse peut être ni différée ni différente que celle que lui fait aBsalon-mOn-gArçon : « sauf le respect que je vous en dois plein mon sacre, j'ai pas été soigner les grands bœufs d'exposition depuis trois jours parce qu'il y a contentieux à régler icitte même dans la meson che vous ! » — un formidable coup de tonnerre accueille le propos d'aBsalon-mOn-gArçon et du spectre autorisé que le seigneur TOBune brandit, sortent zéclairs fourchus et zugziguants : « ingrat et renegat, voilà ce que t'es, BSalon ! Depuis quinze ans, je t'ai donné gîte, couvert, salaire de grosse-faim et molu-ments chaque fois que t'es allé montrer en foire tes grands bœufs d'exposition ! Et chaque fois aussi que t'as eu besoin de te rendre à mon-GRAAL pour tes inventions déjà inventoriées au bureau des patentes à gosses, j'ai dit « je te bénis, oui oui je te bénis » ! Est-ce que c'est pas là vérité farcieusement vérifiable en vers et contre prose ? » — aBsalon-mOn-gArçon a baissé la tête, les bras et la lippe inférieure : « que-voudriez-vous-donc-t'y-que-je-fasse alorsseque ? » — « va en l'étable y faire le train férié, puis reviens-toi z'en tusuite après : on passera à table et j'exprimerai alors toutes mes complaisances par-devers toit, voûte et nouille, amène ! » — pas moyen pour aBsalon-mOn-gArçon de retorquer, le tonnerre rugissant trop fort et les éclairs éclairant trop loin — aussi sort-il du salon épointé dans ses piépiés, et moi avec lui, et habaQUq-mon-sEuL-tenfant avec nous, en sainte famille que le dessert des rois-mages m'a tout l'air d'être loin pas à peu près de sa coupe à nos lippes tant il est vrai que brille pas pour tout le monde l'étoile zautaine du naTZARet en aRcAdiE ! —

J'AI LAISSÉ HABAQUQ-MON-SEUL-TENFANT aux bons soins de dame PantAléONne poRtELANCE parce que je tiens à pas lâcher d'une semelle aBsalon-mOn-gArçon : rien de plusse dangereux qu'un grand bœuf d'exposition qu'on a mal assommé parce que quand ça se remet deboutte sur ses patapattes, c'est plus du monde que tu peux parlementer avec en toute bovialité : ça fronce tout drette dessus toi à cause que ça a la queue de chemise en feu et qu'il y a pas d'éteignoir de ton bord pour faire contre-panse au milieu du chemin en tels kahosses et kahasses que t'es mieux de t'enlever de là parce que sinon tu vivras pas assez vieux pour en raconter les péripattetipattetas au reporter du soLEil de Quebec dont la devise est : « Fesse où c'est c'est que tu peuves du moment que le lisier s'accentufie en filions ébats, avec ivresses au maître carré, à s'en torcher la flanche critique en dits didiés de papotille » —

UNE ÉTABLE, JE SUIS PAS FOLLE DE VOIR ça : c'est généralement bas de plafond, mal éclairé, plein de vermine, de drosophiles et de mauvaises odeurs de piépiés que les chaussettes sont restées dedans depuis la guerre des ébœrs — ce sont toujours des hommes qui font le ménage dans les étables même s'ils ont pas assez de talent pour prendre soin d'eux-mêmes au sens propre du terme et ça remonte à loin dans le temps — vous avez qu'à lire et relire la bible du JEhoVAh : vous y verrez que les bouses endormies et les tas de fumier y sont plus nombreux que les baignoires sur pattes et les bécosses en bois de cèdre, de quoi soupçonner que la pleine MARiE et son sainge jOSeph croyaient entrer dans un hôpital et non dans une grange quand ils se sont retrouvés dans BethLÉem ! — je vais donc rester près de la porte et respirer le moins profond possible tandis qu'aBsalon-mOn-gArçon se dirige vers ses grands bœufs d'exposition — ça beugle sur un temps rare, à s'en décrocher la palette de l'estomac tellement sont émotionnantes les retrouvailles, à commencer par celles d'aBsalon-mOn-gArçon qui saute d'un enclos à l'autre, sur le dos d'un blœuf à l'ouest, puis sur celui d'un autre à l'est, et ça c'est quand il s'assit pas au sud dans leurs faces, prenant leurs longues cornes nordiques pour les bras d'une berçante, s'y agrippant et se laissant escouer le pompier comme si de rien c'était — j'ai fermé les yeux et je les rouvrirai pas tant que seront pas finies les galipettes d'aBsalon-mOn-gArçon sur le dos et dans la face de ses grands bœufs d'exposition : quand une journée commence aussi mal que celle d'aujourd'hui, tu provoques pas le saint dessin, tu y vas avec le profil le plus bas possible, tu déplaces et fais déplacer le moins d'air que tu peux, tu restes sur ton requinben de corps et d'esprit — la grosse pelle à fumier racle le béton larmé, puis ça se met à sentir la balle de foin et la paille déchiquetée, les beuglements cessent et les coups de cornes sur les barrières des enclos aussi — je risque un quenœil, mais pour ainsi dire du boutte des lippes : aBsalon-mOn-gArçon se tape la tête sur celle de son grand bœuf d'exposition préféré (c'est celui qu'il monte pour moi le matin quand j'appareille flambante et nue dans la fenêtre du premier respir), et je m'entends lorsqu'il lui dit : « je serais un homme mort s'il fallait que ça t'arrive avant moi ! » — deux grosses bêtes qui s'aiment autant, ça vous replace le seuil de la larme dans la bonne embrasure de porte, ô roux jEsUbE ! —

ABSALON-MON-GARÇON A APPORTÉ UNE grosse botte de foin, il s'asssoit dessus et m'invite à prendre place à côté de lui — je sors de la poche de ma robe le mouchoir à tipois verts, je l'étends sur la botte de foin et m'assiste à mon tour, mais du bord de la fesse gauche à cause que mon trou du culte est toujours en mal de chienne qu'on a enragée — « j'ai peur », dit simplement aBsalon-mOn-gArçon — « j'ai peur aussi », que je lui retorque sans autre propos — « BARuch-l'aîné et sopHONie-le-beNjamIn ont rendu TOBune-son-père et TOBune-sa-mère complètement folichons, cornichons et sordichons. Ils l'étaient avant juste à moiquié et c'était déjà pas parlementable et pas soignable : que c'est c'est que ça sera tantôt quand on va reviendre dans la meson che eux ? » — « peut-être auront-ils tellement bu de gros caribou qu'ils vont s'endormir, la tête dans leur assiettée de chiard au lard salace, d'areilles de chRIst en croustilles twistées, de cipaille au gibier de poterne, de têtes de violon en sanglots longs d'automne, d'aspic aux tipois verts en gelée GArGamelle » — « on rit pas avec le manger » — « je cherchais juste à dénouer le nœud gardien que t'as dans la gorge » — « c'est ben le moins qu'il soye là, l'hostie ! On est en train de se faire enfirouâper de derrière et seconde mains, la christ ! Faudrait être innocent rare pour pas en circonvenir, la tabarnaque ! » — « ça regarde mal, c'est certain » — « si t'as juste des niaiseries à proliférer, garde-les donc pour toi, l'ostensoir ! » — « on met jamais d'eau en vain dans sa tasse de fer-blanc » — « t'es rendue que tu déparluronnes comme dame PantAléONne poRtELANCE qui prend sa lessive pour une lanteigne, la câlisse ! » — « te voilà toi itou en train de déparlutitubéguer. Penchons-nous plutôt sur le véritable problème qui nous abuse » — « je veux ben, mais par quel boutte le prendre, la sainte étole ? » —

ON A EU BEAU SE PENCHER SUR LE PROblème et le prendre à brasse-corps par son toutit ou par son long boutte, on en est pas moins restés grosse-jambe comme devant : quand on sait pas c'est quoi que trame l'adversité, imaginer un stratège pour la contrée, ça revient au même que d'admettre qu'on surnage en pleine trachédie et qu'on pourra même pas s'en sortir, ni côté brasse-cour ni côté portager — que faire et par quoi c'est c'est l'y afferrer ? — tandis que je nettoie les souyiers pointus et italiens d'aBsalon-mOn-gArçon que ses grands bœufs d'exposition ont chié la guénille dessus, ça cogite fort dessus la botte de foin : aBsalon-mOn-gArçon est d'opium que le mieux ça serait qu'il égorge BARuch-l'aîné et sopHONie-le-beNjamIn, qu'il les enferme dans le coffre de leur rutilante voiture et qu'il aille jeter le tout du haut du vieux pont de fer de TOBune — comme je montre pas beaucoup d'enthousiasme pour son blanc de nègue, il ajoute : «je pourrais aussi les dépecer en titetorquettes et remplir de leur viande ainsi émincée le congélateur qu'on a rien dedans dans le soubassement» — «on pourrait pas garder la viande éternellement: après un an, ça aurait l'air du yiabe en personne» — «on pourrait acheter un saint-BERNArd-landry, c'est gros et ça mange à plein: quatre cents livres de veuf haché, on en aurait pas pour des mois avant d'en être débarrassées» — des fois, aBsalon-mOn-gArçon me décourage quand il se perpètre en parlementerie: lui qui cesse pas de ré-inventer eDisON, mARConi, POU-belLE et le général MOTeurS, il se retrouve toujours avec le cerveau à marée basse quand il s'agit de régler un problème du quotidien — «parle! Dis queque chose là, la calvaire!» beugle-t-il en piaffant du piépié gauche, signe évident qu'il est à la toute veille de monter sur son grand bœuf d'exposition et de foncer, tête baissée, sur n'importe en quelle porte et sur n'importe en qui — «pourquoi on s'en retourne tout simplement pas à la meson che vous? Peut-être qu'une fois assis à la table, on lira mieux entre les lignes et ainsi trouverons-nous une légitime offense à opposer à l'adversité?» — aBsalon-mOn-gArçon fait pendulerie de sa tête sceptique, puis se lève brusquement et dit: «c'est mieux de marcher comme tu penses parce que sinon, moi je déterre la hache de naguère à double tranchant ! » — dans cet état dubitatif sortons-nous de l'étable, sous meuglements en concerto majeur des grands bœufs d'exposition, meu ré mi les beux beux meu la si meu meu les beux beux ! —

NOUS AVONS PRIS PLACE AUTOUR DE LA TABLE mapatrimoniale, TOBune-son-père en son extrémité, sur podium et dans son fauteuil de velours rouge braquetté de braquettes dorées, comme un déusse-mackinaw que l'aura de terre et des chants intéresse pas : si haut et si hautain il est installé qu'on se sent bien bas sur l'échelle de riCHleR, intimidifiés, humblémous, pour pas dire qu'on se sent portés par une vague de modesticité sans équipollence avec rien — à cause que je doive aider habaQUq-mon-seul-tenfant à se remplir le garde-manger, je me suis installée à l'autre boutte de la table — je me passerais bien de faire face ainsi à TOBune-son-père, mais je serai pas toujours forcée de le regarder dans ses globilieux quenœils grâce au cher cefils et à aBsalon-mOn-gArçon qui a pris chaise à ma gauche : quand il met les coudes sur la table, aBsalon-mOn-gArçon me fait rempart de son corps et me soustrait ainsi au regard insistantiel du déusse-mackinaw — entre lui et aBsalon-mOn-gArçon, BARuch-l'aîné s'est imbriqué, manifestant le droit qu'il a par naissance de s'asseoir à la droite de TOBune-son-père — de l'autre bord de la table se trouvent sopHONie-le-beNjamIn et TOBune-sa-mère : s'ils sont plus assis l'un sur l'autre, si peu d'espace les sépare qu'on chercherait en vain à y instaurer une mince feuille de papier — sopHONie-le-beNjamIn garde ses jeux de mains dessous la table, mais pas besoin d'être grande seigneuresse pour deviner ce qui s'y passe : quand TOBune-sa-mère fait farce de dinde et glougloute comme elle s'y emploie dans l'actuel moment, c'est que c'est deviendu vilain en son triangle des beRnUDEs — heureusement que derrière elle la cefille des étoiles, montée sur podium comme TOBune-son-père, est vite sur la détente et glougloute plus fort que TOBune-sa-mère parce que sinon le déusse-mackinaw se rendrait compte qu'il y a loupe-grivois en sa bergerie, cacourenard en son poulailler, rat d'eau en son carré à graines, et ça serait pas long que de son spectre autorituféraire jailliraient éclairs zé tonnerre — mais tel c'est dans son tel que tel qu'on peut encore respirer par le nez tandis que dame PantAléONne poRtELANCE et jÔhny BONngGALOuPpttt nous servent à boire le gros caribou, puis mettent sur la table les premières victuailles : tifours à la mode aDOLph, saucissettes en coiffe des sœurs de la prOVIdeNce de QUEbec en la belle ville de remOUSKi, amuse-bouches sur litte de salade arabique, titetrempettes de martin-prêcheur relevées du cèpe cueilli en bois clair par gaie journée de la fierté fefie, aspic aux tipois verts sous gélatineuse mise en charrette, fins bescuits DAviD enduits de graines roses de sesame, le tout arrosé de bebé dOC mis en bouteille par DAMné lhafFERrhière, négociant en vins nègues sur les hauteurs de la poInte à pÎtre en pays haïssable — les couleurs sont belles, presque musicouleurables, comme une partition quand le lard de l'art domine le pot du vain politichien : juste à voir, on a l'envie d'entendre sous la dent craqueler les tifours, saucissettes, trempettes, aspics et bescuits, ce dont personne autour de la table semble vouloir se priver tellement s'ouvrent grand les mâchepatates et tellement elles enfournent vite, les bebouches! — à dire et à lyrer vrai, aBsalon-mOn-gArçon fait baboune dans sa barouche, la caboche dans le frin, les areilles rouges, les yeux en forme de vrilles plantées dans celles de TOBune-son-père — « mange! que je lui torque. C'est délictueux! » — aBsalon-mOn-gArçon repousse la saucissette que je lui offre puis, sans prévenir personne, il abat son poing sur la table et dit: « moi, je suis venu icitte-dedans pour savoir. Je propose donc que le parlement se mette à siéger sans autre évitation » — TOBune-son-père a d'abord dressé l'areille et toute la bête ensuite, a craché dans son assiette les tipois verts de son aspic qu'il se préparait à avaler, puis abattant à son tour son poing sur la table, il tonne, fort mécontent: « j'ai dit qu'on mangerait d'abord. À entendre claquer les mandibules, je pense que c'est actuellement ce qu'on fait tout le monde. Ben, continuons, sacatibi sacratabac! Car les ceuses qui auraient l'intention d'agir dans l'autrement ont qu'à prendre la porte de suite pour que le vent les emporte che eux! Mon histoire sans parka finit d'en par là, sacatitebitte, sacragrossebête! » —

NOUS RONGEONS NOTRE REFREIN ET FRANC déparler, nous le grugeons jusqu'à la mouelle, de quoi en avoir t'à l'heure les babines par en dedans, les badingoinces enflées, la bagouterie en démanche, comme mauvais ragoût irlandais porteur de grands vents intérieurs, les pires à assumer en société, surtout quand les choses en sont là où elles se trouvent maintenant, à mille milles de la poire et du fromage, en trou normand que mon pain-fesse tranché épais est impuissant à colmater les brèches et les longues: rien de pire que l'attente en veillée prématurée de temps des fêtes, rien de pire que de s'y percevoir comme points de suspension entre consonnes et voyelles muettes privées de leurs accents aigus et graves, comme bourdonnements de faux bourdons, comme couronnements de maux mottonnés entre glotte et alouette — et c'est sans doute pour que le temps du verbe reste ainsi en son futur antérieur et intérieur que mange aussi saffrement TOBune-son-père qui fait table rase de tout ce qui se trouve à sa portée et au-delà (faut dire que le reste de l'assemblée lui facilite l'engouffrement en avalant peu et de travers : TOBune-sa-mère s'est glissée de sa chaise sur les genoux de sopHONie-le-beNjamIn pour prendre à la béquette les morceaux de viande et de pain qu'il mâche et lui régurgite, sa grosse langue comme pistonne entre les lippes maternelles que derrière c'est tout édenté, sauf pour deux chicots jadis canins qui sont maintenant noirs comme de la mine de poêle et branlant dans leur manche pourrissant — BARuch-l'aîné regarde, mais sans rien voir, trop intéressé par les verres de gros caribou qu'il boit culte sec entre deux jets de l'énorme cigare qu'il mâchouille en quequn qui connaît sa tabagie et aime le faire assavoir aux autres, et plus particulièrement à aBsalon-mOn-gArçon qui fait le grand bœuf d'exposition boqué à mon côté, picaillant de sa fourchette la nappe et le napperon plutôt que d'ingurgiter ce que je mets dans son assiette et dont il se débarrasse aussitôt par le biais d'habaQUq-mon-sEuL-tenfant que tant d'appétit fait toutefois plaisir à voir et à entretenir : « ah Mouman ! Cé bon, cé bon ! Ah Mouman, houin houin ! » —

DAME PANTALÉONNE POGRTELANCE ET jÔhny BONngGALOuPpttt sont des professionnels du traitement de restes, ils ont tôt fait d'en débarrasser la table qu'ils se chargent de renipper des produits de leurs tiroirs : chiard beauceron au lard salé, cipaille de langues de bois, fracassée d'orignal épormyable du BAS-canasTA sur bloc très glacé, ragoût de blœuf de l'ouest avec grands-pères blédingues, lapins filés à l'anglaise sur couche de macaronis chinois du hautCANasTa — et j'en passe et j'en repasse tellement dame PantAléONne poR-tELANCE et jÔhny bOngGALOuPpttt ont travaillé fort sur le terrain de la vernesaison et de la folemouesson — je pense à mes pauvres tipoulets rôtis et j'ai pas hâte pantoute de les voir s'amener en centre de table : si TOBune-son-père devait mal les prendre et s'y dégoûter, ça serait comme un crime de lest mal largué du haut d'une mongole fière, en l'occurrence mon moi-même, à rendre honteuse toute sa descendance jusqu'à aBsalon-mOn-gArçon compris dans le tilot — comme je veux éviter qu'on en arrive là, je cligne d'un quenœil vers TOBune-son-père et je dis avant qu'il se saisisse d'un premier tipoulet rôti : « ce sont de bien ragotes bêtes qui étaient pas engrossables malgré les siaux de graines qu'on les a nourrissonnées avec. Prenez plutôt du chiard, du cipaille, de la fracassée, du ragoût, du lapin : c'est tout doduchant de partout, de quoi s'ensauciller le bas ventre d'un sujet à l'autre » — TOBune-son-père me regarde comme si c'était moi la cefille des étoiles et non pas la poulecigrue qui se tient deboutte derrière TOBune-sa-mère toujours assise sur les genoux de sopHONie-le-beNjamIn, et dit : « quand je voudrai qu'on me donne avisage sur ce que je dois-t'y défaire, je te le laisserai assavoir ! » — il allonge la main vers le centre de table, y prend un tipoulet, le met sous le nez de TOBune-sa-mère : « ceci est un quart de livre et ça deviendra bon sang en ta demeure, et ce sera tel que l'affirme notre devise névralgidique : je me soutiens ! » — TOBune-sa-mère est bien obligée d'accepter le quart de livre et tout le monde autour de la table va faire pareil, lever haut en ses airs son poulet et répéter après TOBune-son-père : « je te bénis aux nombres du plaire, du fil et du sain texte bien pris en sa chaire comme en sa carnation ! Paix en notre serre aux ombres de bonne solidité ! Ainsi s'avale-t-il, l'amen ! » — TOBune-son-père mord à grandes dents dans son quart de livre et grommelle encore pour que TOBune-sa-mère en fasse autant — nous, nous attendons qu'ils en ayent fini avec leur quart de livre et, dois-je l'avouer, ça me ferait rien pantoute que ça prenne tout le reste de la soirée funeste : quand tu t'es désâmé à soigner et à nettoyer des tipoulets qui sentaient aussi fort des piépiés, tu te précipites pas la glotte par devant pour becquer bobo : tu regardes, une verge par-dessus TOBune-son-père et TOBune-sa-mère, tu poignes le fixe pour que l'atout reste ainsi, en suspension, avec juste le bruit que font deux paires de mâchoires en train de broyer fort dans le vif du chapon —

QUAND TOBUNE-SON-PÈRE SE DÉLICHE LES mandibules et que sopHONie-le-beNjamIn le fait aussi en lieu et place de TOBune-sa-mère, le répit passe aussitôt date et le dépit lui succède, annoncé par les trois tonitruants rots qui font roide éruption en boutte de table, si puant c'est que même le fondement aurait de la misère à produire odeurs à ce point nauséabondes — le cœur nous enlève presque de notre chaise et nous nous agrippons à leurs bras pour pas perdre face et piépiés — queque chose d'imprévu est en train de s'y surpasser, mais quoi c'est c'est-t'y-donc ? — TOBune-son-père et TOBune-sa-mère ont les yeux en portes de grange, le visage rouge-tomate-trop-mûre, les badingoinces gonflées en bajoues de grenouille, les areilles translucides, les cheveux dressés drette dessus leurs têtes — ça rote, frotte et trotte ! — ça grotte, crotte et rerote ! — puis, en même temps, TOBune-son-père et TOBune-sa-mère s'enserrent le col de leurs mains, tirent la langue et se renversent le col par derrière — dans les oh ! et les ah ! que nous poussons tous, nous nous levons et regardons : TOBune-son-père bat des mains et des piépiés, comme si le visitait la danse du saintguy, une bave polyglauque lui morvant du nez que c'en est pas bel à voir du tout ! — et ça paraît guère mieux du côté de TOBune-sa-mère que son lutérus est deviendu parfaitement listérique, à ce point que même sopHONie-le-beNjamIn risque d'y manger toute sa gratte si rien se fait dans la prochaine minute du petrimoine pour contrer le dessein : « appelez le médecin ! hurle sopHONie-le-beNjamIn. Vous voyez donc pas que la vie s'érode et qu'elle tient déjà plus deboutte tuseule même par un cefil ? » — « ah Mouman ! Cé bon, cé tant bon ! Ah Mouman ! Ahuihinhin ! » que dit simplement en écholalique écho habaQUq-mon-sEuL-tenfant en prenant dans mon assiette le négligé quart de livre pour l'emporter, vite livré, à sa bebouche — ô doux jEsusjEsubE ! — quelle fin c'est pour un réveillons-nous que l'affroi et l'expérience devaient faire clarité dedans ! —

5

Dans lequel chapitre l'auteur
répond à une question hallucinée :
faut-il se méfier quand ça sent
autant la cigare et le tourni,
le haut bois du rossignolet,
le baiser de la langue française,
la berceuse slavonneuse,
le boum badiboum,
la belle françoise,
l'égo sum paupiette
et le funiculi funicula ?

LE HAUT DU CORPS PASSÉ DANS LA FENÊTRE, je regarde dehors même si je sais bien que j'y verrai pas aBsalon-mOn-gArçon monté sur son grand bœuf d'exposition et me faisant galipettes pour que je m'excite et m'exhibitionne, tetons à l'air, peteu à l'air, cuisses à l'air — je suis plutôt comme une patate enrobée de chambre et mon porfil est si bas que je pourrais passer sous la porte sans me molester en nulle part de mon moi-même — le glas sonne fêlé comme tout ce qui fait écho icittededans et c'est de même depuis trois jours et autant de nuittes, à brailler, à suppliquer, à priérer, à chiâler, à sanglotiller : j'en ai perdu mes cordes vocales, j'ai plus une goutte d'eau dans l'aqueduc, je suis à sac et à sec, découragée de la vie, déboutonnée de partout, en pensées, en paroles et en fractions — j'ai même plus assez d'énergie pour m'extraire la corporation de la fenêtre, pour faire ces quelques pas jusqu'à mon litte et m'y laisser tomber d'un coup en pan de mur que le plancher se dérobe sous ses piépiés — ô doux JesusJEsube ! — pourquoi me délester ainsi, si titubée, si titubéguante, avec tant de solitude sur les bras que j'irais volontiers jeter mon peu d'envie du haut du vieux pont de fer de TOBune si seulement je trouvais moyen de moyenner jusquelà ! — ô doux-amer JesusJesube ! — pourquoi cet abandon dans l'épaisse ténèbre quand je suis si mal armée, si mal larmée pour y faire face sans la perdre à jamais, en effarement complet, sans recours ni retour possible d'éternité ? —

J'AI GLISSÉ LE LONG DE LA FENÊTRE, LAISSANT mon corps s'y faire amas de n'importe en quoi, titas de cendres, titas de nerfs, titas de muscles et titas de sang pustressants, titas de fiandre que les oiseaux picocheraient même pas dedans si on me transportait dans la cour derrière la meson che nous — et ce glas fêlé qui malsonne toujours, pire c'est que si des perce-areilles se tenaient dedans entre marteau et enclume, leurs pattes en crochets déchiquetant la chair, gourlument, gorglument, gourguérenardiment, magogaguement, tels de glauques gloglusses passant dans les airs comme globicéphales éconduits en estuaire de saint-LaurENT — ma tête, doux jeSus ! — si fromagée elle est, telle une passoire qui peut plus retenir même le candide raton tellement la matière se fait manquante dedans — pourtant, je m'acharne autant que je m'y décharne, j'essaye de trouver le bon mot qui forcera les perce-areilles à déguerpir, la chair en déchiquettes à se reformer, le glas malsonnant à se soustraire — mais je trouve rien : quand les maux font surnombre, les mots sont glues, ils se collent comme pains-fesses dedans leurs moules, et c'est pas parlable avec ou contre, c'est mottons et bebouche décousus, c'est fatiquant à mort, comme tonnes de briques pardessus cordes de bois, comme, comme, comme aussi ben dire n'importe croix sans porte-voix, ça saigne, ça stagne, ça steigne, voilà tout, voilà tout rien, ô doux l'amer jujUjUjube ! —

J'AI CESSÉ DE PLEUROTER : LE PUITS EST À SEC, le désert s'en vient vers moi à toute vitesse, il faut que je rampe jusqu'à mon litte si je veux pas que les dompedunes de sable m'enterrent à jamais — quelques vieilles et simplettes odeurs, peut-être que ça sera dans le suffisant pour que je reprenne courage et filet de voix, pour que je me remémorise, pour que je me remembrasse, en pensées, en parlures, en puractions : qu'importe le pont levé si les vies s'y retrouvent de l'autre bord, à renouer simplement avec ! —

JE VAIS MIEUX MAINTENANT, JE M'EN VÊTS comme je viens de faire avec les couvertures, j'attends que l'effet de serre me réchauffe la planétude, me redonne gravidité et gravité, car les temps ont été durs à passer et peut-être ça restera-t-il ainsi jusque dans l'an quarante, lorsque la grande noirceur était chapelet de plombs dont nul échappait, ni par refus flobal ni par rebut rotable, ni par unité nationanale, ni par parties de corps libératineuses, ni par déparalysie pequiste fefi ou adécuistre enfantillonnachiée — tous dans la même craque à maux, impossible à riopelleter autrement qu'en s'entachant d'exil, d'exit et d'exhausses en ciels mineurs — doux l'amer yésuSSe : que c'est c'est que j'ai donc fait pour mériter tant de peine et m'en trouver si perdue, aussi éperdue, zaussi déperdrixée, avec des ailerettes qui s'abattent sans remugle en paradis perclus ? —

JE FORCE FORT DANS MON DEDANS DE CA-boche, flaucons de colle à la main pour gluer les morceaux du casse-tête qui s'y sont éparpillés, depuis combien de temps je peux même pas me le prédire tellement ma mémoire me fait faux bonds, par derrière toute, par devant riene, rideaux tirés, stores baissés même dans le pleine du jour, avec myriades de grands bœufs d'exposition qui m'embrouillent dedans, qui s'embroussent dehors — entre ça et ça, TOBune-son-père et TOBune-sa-mère qu'on mène à un train d'enfer à l'hôpital NOtre-Neige-des-drames : ils se sont étouffés en mangeant leurs tipoulets rôtis, du moins c'est ce que nous croyions tous, ignorants que nous sommes des nouveaux mystères de la vrie : à force d'être claquemurée en boutte de rang, dans l'épaisseur du fumier chié par de grands bœufs d'exposition, avec un titenfant handicapé qui te suce jusqu'à la mouelle ta sollicitude et un époux concubien que ses inventions ré-inventent l'antan, le jadis et le naguère, tu finis par oublier que le monde est comme un chevreux qui cesse pas de courir après son nombre et que c'est toujours par devant que ça s'envoye en l'air — ça explique pourquoi il y a plus personne dans notre aujourd'hui qui meurt étouffé en avalant de travers une aile de tipoulet rôti : ça attrape plutôt la grippe aviairée et ça y succombe dans même pas le temps que ça prend pour se revirer de bord sur un disque simple, tel que ça s'est surpassé pour TOBune-son-père et TOBune-sa-mère — et c'est survenu si vite qu'ils ont même pas eu le temps d'être malades avant, de tousser, de cracher, de s'enfiévrer, de s'enperler de sueurs froides, de tressaillir dans leurs couchettes, de tressauter des mains et des piépiés, de vomir glauque ou de se vidanger par en bas : ils sont morts comme des tipoulets à rôtir et c'est pour eux que sonne, fêlé, le glas : on a brûlé leurs corporations hier au soir, on les enterre maintenant dans cette partie-là du cimequière, tout au fond, que personne encore a soushabité — une fosse creusée dans le tuf, trois fois plus profonde que n'importe en quelle autre et remplie de chaux vive jusqu'au bord pour que les bactéries de la grippe aviairée s'y décomposent, mais sans sortir de leur trou — quelle fin d'émois avant même que le premier jour du mois soye passé date sur le calendrier de la baisse populaire ! —

JE VIRE ET ME DÉVIRE DANS MON LITTE, JE me mords les mains jusque dans l'huile des coudres, je voudrais tant que ma mémoire s'éprenne d'eau, je voudrais tant me roucouler de rien d'autre, ça me déferait moins mal — mon pauvre cefils ! — mon pauvre tinange ! — même si on peut plus trouver une seule larme dans mon corps, je pleure pareil, je supplique pareil, je chiâle pareil, parce que je sais que j'aurais dû empêcher habaQUq-mon-sEuL-tenfant de manger du tipoulet rôti, j'aurais dû deviner, juste à voir TOBune-son-père et TOBune-sa-mère, que le mal proviendrait de là, mais la foudre m'a frappé sur le retort, quand mon pauvre cefils, quand mon pauvre tinange a mordu en toute méconnaissance de cause dans la cuisse de tipoulet rôti et qu'il est tombé aussitôt, rattrapé à son tour par la bactérie mangeuse de chair! — je voulais rester auprès de lui, je voulais qu'on me coupe les deux jambes et qu'on lui laisse les siennes, je me suis agrippée au cher cefils autant que j'ai pu, aussi longtemps que j'ai vu, mais on m'a forcé à lâcher l'emprise, on m'a donné succédané de mort fine, et j'ai sombré et c'est là-dedans que je me fuis depuis pour pas voir les deux jambes coupées d'habaQUq-mon-sEuL-tenfant! —

DAME PANTALÉONNE PORTELANCE ME désenmêle de mes couvertures, elle me dit que j'ai mal crêvé, elle m'éponge le front, les joues et les lèpres, l'endessous du menton, je sens le sel de mère, j'essaie de respirer profond, c'est dur d'y parviendre, mes tetons pèsent une tonne chacun, me compriment la poitrine, me dépriment entre les deux areilles, je suis pourtant trop fieille pour avoir une montée de lait, je suis pourtant trop malusée par en dedans et par dehors pour que ça porte encore ccfruit, je glisse une main jusqu'à mon ventre, il est gros, distendu comme de la peau de tambouronne, dois-je m'en inquiéter ? — dame PantAléONne poRtELANCE me dit encore que j'ai mal crêvé et que c'est parfois constipuant de crêver autant, que les vents s'engouffrent par toutes les anfractuosités qu'on a, qu'ils restent pris dans la matière brune, que ça devient pareil à du ciment, que c'est comme si quequn s'enmurerait par l'intérieur et seul un bon brouillon de poulet, ajoute-t-elle, serait indiqué pour renverser la frayeur, dénouer les nœuds gardiens qui se sont stressés de la palette de l'estomac à la sitanconne vallée, ajoute-t-elle toujours pour faire sa crôle, pour retentisser l'atmosphère et mes nerfs, pour que les vents accumulés en mon fondement se remettent à faire risette, frisette et brisette, par tipets à peine audissibles, puis attourdissants ils deviendront, coups de tonnerre dans l'usure, ça devrait conspuer en surabondance, mais c'est senteur d'eau de prose partout et goût de lait enmiélé entre mes lippes, et tite-musique de nuitte en mes areilles, tandis que se désamplifient mes tetons et s'affaisse le ventre en plis et contreplis d'accordéonne, comme quand s'enfuisent les rêves mal crêvés, avec l'amertume et la dépréciation nerveuse qui les gobent et les globent, me dit dame PantAléONne poRtELANCE en train de me poudrer le visage d'une neigeante neige de fonte damée, de me rougenlipper la bebouche en pulpieuses badingoinces, de me channeliser les dessous de bras d'eau de colombe, pour quoi faire, doux jeSus !, quand je suis ainsi comme bûche d'arable sur crouche de feuilles mortforées, à attendre qu'on y mette le fieu pour que ça s'embrase une ultimide fois avant le jurement dernier ! —

« BEN, OUÉYONS DONC ! » QU'ELLE DIT DAME PantAléONne poRtELANCE en me tirant vers le ciel de litte après avoir mis tout contre une montagne d'areillers pour que je peuve pas faire faux mouvement et me retrouver, ni visse ni tonusse, au fond de la ruelle derrière — quand je vois la robe à tipois verts que me montre, bien cintrée, dame PantAléONne poRtELANCE, tout mon corps se rejette de lui-même, je ferme les chassieux et mets mes mains devant pour que la lumière reste là où elle est, à bonne distance, aux frontières de la sciendre — « pas la robe à tipois verts ! Pas la robe à tipois verts ! » que je maugrée malgrée parce que je peux plus la voir que comme une empêcheuse de m'habiller en rond depuis la réveillée funeste en réveillon du temps des fêtes chez TOBune-son-père et TOBune-sa-mère — non ! — rien de rien ! — je regrette rien de ce qui s'est trépassé en la meson des seigneurs TOBune, je m'en suis fait promesse sur ce que j'ai de plusse clariciable en mon corps qui s'y reste, mon cher cefils, mon cher tinange, mon cher HABaquq, mon cher haba, non ! — nom de rien ! — Je regratte rien de ce qui s'est mal passé en la meson des seigneurs TOBune, je, je, je, non, non et nom de jesusJesube ! — « calmez-vous, dit dame PantAléONne poRtELANCE. Calmez-vous. Pensez juste à l'essentiel qui est à la toute veille de surviendre. Écoutez voir. Le glas a cessé son tintouin. Est-ce que c'est pas là en soin de la bonne nouvelle ? » — je tends l'areille gauche et c'est pas la bonne : à coupes fines, tant de sons cillent dedans que je peux pas triller parmi ni parsol, c'est babelique à mort, rien que kkkphonies, qu'enkkktonies, que kkkgonies — « la messe des funérailles est terminée, la translation des restes doit être sur le quart de finir aussi, de sorte que votre BSalon devrait se retrouver icitte-dedans dans pas fort long. Malgré votre deveine et peine, vous devez vous regouverner en conséquence. Faites-le au moins pour votre cher cefils » — je m'enfouis la bête sous les couvertures, je fais l'autruche hongreuse, je veux pas penser si tôt à l'amputation : des profonds disques des profonds disques tantôt margot je vous salis mari je suis pleine de graisses je m'en excuse des profonds disques, ô jeRue jeRube ! — j'arrive même plus à priérer comme du monde, je suis en phrase terminale, en rase-mots, j'ai peur de reprendre mon air, aidez-moi quequn, je suffloque, je m'époustouffle, je m'effondre, je m'enffronce, je m'engouffrise, je me meurmuise, je suis l'autruie dévorée par sa malportée de rats meurtis ! —

« ASSEZ DE PITROIEMENTS ! » DIT DAME PantAléONne poRtELANCE en rabaissant brusquement les couvertures jusqu'en boutte de litte, me découvrant ainsi épaisse dans mon plusse mince, même en position assise que je me vois forcé d'apprendre tandis que dame PantAléONne poRtELANCE me soufflette, m'époussette, m'informise et me transformouille selon la loi qui veut que le passage soit aussi le passager, le paysage le paysager, le massage le massager — s'enfilent donc la robe à tipois verts, les souyiers en cuir patin, les gants glancs et les bijoux de famille, puis dame PantAléONne poRtELANCE me chignonne la grigne par stries et par stresses, me met un miroir devant la face et dit : « quand on a la tête que vous avez maintenant, on peut regarder la réalité drette dans ses quenœils. Dites-moi donc comment elle vous transparaît à cette heure ? » — ô doux jesuSJesube ! — je vois les sirènes de métal hurlant des ambulances qui transportent TOBune-son-père, TOBune-sa-mère et habaQUq-mon-sEuL-tenfant à l'hôpital nOtre-Neige-des-dRAMEs, j'entends l'urgence quand ça se retrouve en salle d'attente, je vois les verdicts d'abord conservoteurs des médecins : une simple et bénigne intoxication parlalimentaire, une inoffensive atteinte aux cordes des tics gastriques, rien pour traîner sandales bien longtemps en tribunal du travers — ainsi diagnosetiquait le doctoral TIgène laPIerRE alors que ses gardes soutiraient leur sang à TOBune-son-père, TOBune-sa-mère et habaQUq-mon-sEuL-tenfant — moi, je me retenais des deux mains à la ridelle de sa civière, je prisais en mon faible intérieur, j'étais prête à toutes les missions, commissions et compromissions pour que ça demeure grave mais stable en pays d'habaQUq-mon-sEuL-tenfant, quitte à rester dans le rouge, sans grain possible, quitte à encieler de bleu poudre le firmament, quitte à zéphirer adécuistre, fefi pequiste ou ben soluté quebec en sa solitarité, n'importe en quoi me disais-je, n'importe en qui du moment que mon cher tinange s'en sortira vivant, en toute sa carte des membres remise à jour, sans avaries ni aviairies — doux jusUSjUSube ! — quand on se mit à pousser les civières vers le bloc opératoire, je compris, nous comprîmes tous que de telles charrettes devant les grands bœufs d'exposition ça figurait mal pour l'en-suite du monde : le risque était trop gros pour que ça ressorte tout carré du bloc, avec pas un mot de la méchante nouvelle à faire assavoir, du moins ainsi ça se spérait-il — mon cher cefils ! — je le revis allongé sur la civière, ses coupables jambes accotées à la ridelle et je comprenais plus rien et je vomissais, la tête passée dans la fenêtre de la salle de reveil et les gardes me tapotaient la paupaule et les gardes disaient : « gardez courage ! Gardez le ciel, si bleu c'est malgré la peine qu'il vous ordonne ! » —

RIEN QU'À ME REMÉMORERER PAREILLE FIN de carnageval, j'en pleurerais encore toutes les alarmes de mon corps, mais le bidon est tari, je fais plus que dodeliner de la tête, si épuisée je suis que je sens et ressens plus rien, même quand dame PantAléONne poR-tELANCE me passe sous le nez le tipot de royale gelée de pembina qu'elle est allée chercher dans le bas-côté — elle m'en met sur les lippes et dit : « rien qu'une titelichette. Faites vite car le glas s'est tu pour tout de bon, signe qu'il faudrait maintenant passer de la chambre à la cuisine » — je suce la bite de royale gelée de pembina, ça se remet à me sourire un tipeu par en dedans, je me vois en titecefille courant par bonds et par beaux temps vers le buisson lardant, je suis le chapon rouge, la liche au pays des vermeilles, blanche neige et les sept daims, sangrillon en sa citrouille, scipionne l'afrocaine, la reine des huns et des hôtes, la fée bacarosse, la géantissisme aux tipois verts, en selle et bretelle, jeune fièvre et chanson, si gaie, si gaie la soprano coloraturée, à croire qu'en lieu et place de royale gelée de pembina, dame PantAléONne poRtELANCE m'a fait ingurgiter un succédané de mort fine et que depuis, areilles en calèche, bebouche fendue jusqu'à l'alouette, je m'enfile drette et roide en paradis, si guille, si guille et rette, ah oui hinhin ma guadin ! — pourtant, je fais que déambuler à tipas valsants vers la cuisine et la berçante sur ses chanteaux près du poêle à bois, je m'y laisse tomber la paroissienne et ça craque de partout, comme meson tout en miroirs secoué par trembleterre et faisant sortir de leurs sacs des lapins par dizaines et centaines, je les vois comme autant de titecefilles courant par bonds et par beau temps vers le buisson lardant, je suis le chapon rouge — et vlan ! — en pleine face je reçois les cinq sœurs de la main gauche de dame PantAléONne poRtE-LANCE — et vlan encore ! — en pleine areille, je reçois son propos rabat-joie : « assez ! Assez ! Reprenez votre sens avant que s'ouvre la porte ! Vous aurez pas trop du tichange qu'il vous reste pour que ça passe pas au travers de vous tout en gras de marée dévastrateur ! » — j'ouvre grand le mâche-patate pour rire long et taigu, mais rien s'y délivre parce que s'est ouverte la porte de la cuisine, qu'aBsalon-mOn-gArçon y transparaît, portant en ses bras le cher cefils, le pauvre tinange, le si bien-aimé habaQUq-mon-sEuL-tenfant, de retour enfin — mais quand je vois les jambes manquantes, les bras m'en tombent, mes yeux se remplissent de titevrilles de lumière noire et j'en perds aussitôt le respir : « ah Mouman ! Ah Mouman ! Ah MamaMouman ! » —

COMME UN TIVEAU DE LAIT ASSOIFFÉ, habaQUq-mon-sEuL-tenfant me donne d'incessants coups de tête sur les tetons et voudrait me licher les dessous de bras dès que je les écartille — je lui donne mes doigts à sucer et ça me fait rien s'il me les mordille un peu trop fort : je serais prête à endurer bien pire tant je suis theureuse parce que le cher cefils m'est reviendu inchangé, à croire qu'il a gardé aucun souvenir de ses jambes quand il les avait — même si elles lui servaient pas à grand-chose étant donné que c'était impossible pour lui de se mouvoir avec, ça doit faire un grand vide pareil que d'en être dépossédé d'aussi couillardeuse contrefaçon — aussi je cesse pas de l'embrasser, de le caticher, de le catiner, de lui chanter merveilles, tout en bleu ciel c'est, avec pas une seule titetache rouge en bas ou en haut de la carte : quand on le veut, on s'y veille et s'y réveille, c'est toujours la vie qui s'en raconte, peu importe les morceaux qu'on peut bien perdre en tournant de chemin — cette leçon que me donne habaQUq-mon-sEuL-tenfant en sa résistance, je voudrais la partager avec aBsalon-mOn-gArçon qui bouille par dedans depuis qu'il est reviendu des funérailles — pour lui, le glas sonne toujours et ça le rend fébrile de la tête aux piépiés, il cesse pas de faire les cent plats d'un bord à l'autre de la cuisine en poussant par intervalements ces tibeugles qui augurent mal pour le futur — « t'aurais dû rester jusqu'à la fin dans la meson des seigneurs TOBune : lorsqu'il y a dépouilles en la demeure, on attend que tout soye consumé avant de claquer porte et moustiquaire, on part pas de là sans que lecture de testament soye faite » — aBsalon-mOn-gArçon entend rien de ce que je lui dis, il est encerclé par ses grands bœufs d'exposition, c'est comme s'il faisait rien d'autre que de s'esquiver entre coups de corne hypothétiques et coups de corne virtuels — « pense au moins à notre cher cefils, sois conscient qu'il y a eu miracle en boutte de rang et que nous devons tous en porter témoignage, gracitude et béessitude ! » —

J'ai parlé pour rien, j'ai parlé en l'air et ça a retombé devant la porte de la cuisine, il y fait juste assez de vent pour qu'elle s'ouvre sur BARuch-l'aîné et sopHONie-le-beNjamIn costumés en croque-mort de la tête aux piépiés, leurs cheveux ramenés par derrière, lissés à ras de caboche et gominés épais — ils s'avancent vers la table, raides comme des fers à bras, tirent à eux deux chaises, viennent près de s'y asseoir, mais s'en abstentionnent quand ils voient dame PantAléONne poRtELANCE en train de truffer des tifours au comptoir de cuisine — BARuch-l'aîné dit : « l'heure est grave et doit se discuter en privé, sans areilles étrangères pour écouter à l'emportepièce » — « dame PantAléONne poRtELANCE est notre garde : elle peut donc tout entendre, dit aBsalon-mOn-gArçon. Que voulez-vous et pourquoi le voulez-vous aussi vite après l'enterrement de TOBune-son-père et de TOBune-sa-mère ? » — « t'es pas resté à la meson che nous quand le notaire y est venu faire lecture de testament. On est donc icitte-dedans pour te faire assavoir les dernières volontés. Viens t'assire » — aBsalon-mOn-gArçon s'approche tandis que BARuch-l'aîné sort de l'une de ses poches une enveloppe de format légal pliée en accordéonne, il l'étire, la désoblitère, en extirpe une simple feuille de papier jaunasse, la tend à aBsalon-mOn-gArçon et dit : « c'est pas écrit long ni large. Prends ta connaissance » — ce que fait aussitôt aBsalon-mOn-gArçon que les areilles deviennent couleur rouge cerise noire et la bebouche en culte de grand bœuf d'exposition, tous ses vaisseaux sanguins gonflés comme quand ça se prépare à vêler un taurillon plus grand que mature — « christ d'hostie de ciboire de viarge sale ! » beugle aBsalon-mOn-gArçon en faisant chiffonnerie de la lettre de format légal puis, la lançant dans la pleine face de BARuch-l'aîné, cocidille-t-il : « quand je sortirai d'icitte-dedans, ça sera les quatre fers en l'air, les deux pieds par devant, pas avant ! » — BARuch-l'aîné hausse les paupaules et dit : « t'as trois jours pour plier bagages et décabaner. Sinon, nous allons revenir sopHONie-le-beNjamIn et moi pour te sortir culte par-dessus tête. Aussi, fais ce que dois ! » — et virant aussitôt carré dessus eux-mêmes, se dirigent vers la porte le BARuch-l'aîné et le sopHONie-le-beNjamIn, puis sortent sans demander nos restes, comme croque-mort de basse besogne satisfaits de leurs ressorts — je presse fort habaQUq-mon-sEuL-tenfant contre mon moi et mes émois, je regarde aBsalon-mOn-gArçon dont le gros poing va se battre avec la table, je dis : « où c'est c'est que le jupon dépasse ? Veux-tu ben me l'apprendre, vingt gaines de vingt gueuses de maudite larde salée ? » —

EN PLEINE STUPEUR C'EST RESTÉ DEPUIS, SI froid l'effroi, si consternante la circonstance, si effairée toute l'affaire qu'aBsalon-mOn-gArçon et mon moi-même on est comme statues de gel au beau mitan de la cuisine — si vieux sommes-nous tout d'un coup, si lourds de proue jusqu'à poupe sommes-nous, si ensilenciés sommes-nous, si sourdindes sommes-nous deux ! — heureusement que dame PantAléONne poRtELANCE veille sur habaQUq-mon-sEuL-tenfant parce qu'autrement ça serait la gangrène pour lui, peut-être même le retour de la bactérie mangeuse de chair si difficile à modérer dans ses transports que c'est comme de la grosse veine perdue que de s'y opposer, surtout quand ça file jarnifrette ainsi que c'est notre cas à aBsalon-mOn-gArçon et à mon moi-même : le poêle à bois a beau chauffer à s'en fricasser la fonte, les rhumatismes nous perclusent, la grippe nous agrippe à nos chaises, enviaires et contre tous — c'est comme si la nuitte s'était installée à demeure, pleine de tant de bruimages qu'on peut plus rien voir ni rien croire dedans, enfanatomisés par-dessus et par-dessous en un sombre cauchemare, en une profonde couchemort : on fait pas autre chose que de rêver à des cimequières, à des trombes, à des frosses, à des bras et à des jrambes sectionnés, à des vers longs comme défilés du jean le baptiste, qui mordent, grugent, sodomisent, faisant jaillir des myriades de bactéries qui se jettent sur nos restants de nerfs, de muscles et d'os comme la misère sur le dos du pauvre monde : comment sortir d'un tel effrontement quand on est aussi titubéguant de partout, langue collée au palais, alouette gelée raide, cordes vocales en gluées, poumons stratifiés, tout pris c'est comme en un pain-fesse sans levain aux raisins secs, comme en une tarte laitte garniturée à l'affaire louche, mie manquée, croûte crevotante, désert sans dessert, messe noire sans orifices ni judas ni quenœils de grands bœufs d'exposition pour voir dedans la nuitte déguerpir, sa queue de chemise mise en fieu par le soleil enfin reviendu, si haut au milieu du ciel blieu, comme un poing fiermé couleur de tipoulet rôti ! — je veux plus claquer des dents, je veux plus frissonner des bras, je veux plus m'englacer des tetons, ni du ventre, ni du trou du culte, ni de ci, ni de là, je veux fondre, je veux sang chaud, brise tiède, je veux embraser, embrasser, embraiser le cher cefils, il a tant besoin de moi pour que ses jambes coupées lui montent pas à la tête sous forme de caillots leucémythes et pandémythes — je veux, je veux, mais j'y veux et j'y peux si peu, si peu peupleplié suis-je quand la nuitte s'engivre ainsi à perte de pleupluie ! —

MÊME QUAND LA NUITTE S'ENCRE SANS SES chinoises lanternes, l'effroi dans le dos c'est impossible pour lui de durer éternellement, car ça serait pour tout de bon l'enfin du monde et personne veut que ça survienne avant sa mort : on a tous le droit de vrirvre jusqu'au boutte de son âge, ramassé sur son soi-même ou autrement, ça importe peu comment on s'y arrive, en un seul morceau ou épaillé aux quatre coins de l'incontinent, puisque tant que ça s'envit ça sent bon malgré bouses des vaches endormies et fientes des volatiles en basse course, en lents tours et détours au-dessus de nos entêtements et revêtements — quoi qu'à dire plusse, je save plus personne c'est quoi c'est c'est qu'il nous arrive, c'est quoi c'est c'est qu'il se passe dedans la tête d'aBsalon-mOn-gArçon parce qu'il m'a tourné le dos avant de deviendre statue de gel et je vois rien d'autre que son derrière de tête et ses paupaulettes, la gauche plus basse que la droite, et je voudrais savoir pourquoi c'est pas le contraire parce que peut-être l'avenir gîte-t-il dans cette singerigularité, comme une signature sur un chèque postdaté, c'est pas encore de l'argent et c'en est aussi, c'est de l'entre-deux portes — mais fuseaudefilosurfer ainsi quand même le frette s'effreye, voilà ben qui ressemble pas pantoute à une cinécure même en bleue nuitte, avec blœuf de l'ouest en médium saignant dans son assiette

— ô doux jESusjESube ! — que j'ai hâte au printemps, que j'ai hâte de retrouver la soprano coloraturée, que j'ai hâte de rechanter ah les graisses et les flancs boisés, ah gente cefille la luette, ah gai gai marions tout, ah lalélouya ! — en attendant, ça fait sur en la bebouche, ça fesse dur en la barouche, ça laisse pas de teumber sur les nerfs et l'expectantive : quoi c'est c'est qu'il pourrait bien surgir en surconvenance pour que la nuitte friglorifiée et morigivrante se relâche les sphinxters ? — je prie, je tant priérise que je sais plus quoi c'est c'est que j'y radote à basses notes, ô doux l'amer jusUsjusUbe ! —

ENFIN, LA PORTE S'OUVRE ET LE SOLEIL S'Y dégouffre tant que malgré qu'aBsalon-mOn-gArçon et mon moi-même nous soyons cadavraglaces, on en perçoit de suite la bienveillante participaction : on va se mettre à fondre si vite qu'on pourra t'à l'heure se boire deboutte à bride rabattue — et cette méthane morphose nous souscrit tellement qu'on voit pas bien beaucoup qu'il y a pas juste le soleil qui s'est perpétré dans la meson che nous: BARuch-l'aîné et sopHONie-le-beNjamIn l'ont suivi de peu, portant cette grosse caisse de cartron qu'ils déposent dessus la table avant de saluer à la naziste et de dire: «le premier jour est déjà trépassé: il vous en reste plus que deux pour plier bagages et décabaner. Si c'est pas encore eau claire pour vous autres deux, ouvrez la caisse: le message est son messager!» — ils décampent aussitôt sans refermer la porte comme pour donner toute sa place au soleil, si violent ce jour d'aujourd'hui qu'il taone comme faux bourdon et darde comme frelon engagé — veutuveutupas, aBsalon-mOn-gArçon et mon moi-même on se déstatufie à la vitesse du fond de l'air, avec plus rien de gelé en nos corps lainieux, plus rien de vitrieux en nos quenœils fixés sur la caisse de cartron au milieu de la table, imposante dans sa forme rectangulaire, inquiétante dans son revêtement teint on dirait avec du sang de bœuf — en même temps, aBsalon-mOn-gArçon et mon moi-même on fait deux pas vers la table, mais se freine aussitôt notre ardeur quand, du fond de la caisse, on voit apparaître cette rigole vermeille qui coule par-dessous et s'épand en serpentant, longue de deux doigts d'abord, puis de six pouces, puis de trois verges, jusqu'en boutte de table où ça se met à goutter lent comme dans la supplique de cHANtal lorsque la soif la fait mourir par tinœuds en fond de gorge desséchée — « que c'est c'est que ça, la christ ? » me demande aBsalon-mOn-gArçon, si inquiet que j'ose pas rien dire pour pas que l'hystérie lui saute dessus à bras raccourcis — on s'approche et quand aBsalon-mOn-gArçon met la main sur le dessus de la caisse, je ferme les yeux tellement je suis pas certaine que je veux assister à son déboîtement — il y a ce bruit des rabats de la caisse qu'on fouaille avec, il y a ce bruit du cartron qui se déchire, puis c'est le calme plat, pas un mot, pas un son, même pas de respir — j'ai chaud, je transpire, je sue à grosses gouttes de mes dessous de bras à mon trou du culte, je me mordille la lippe inférieure parce que je veux pas rouvrir les yeux tant me terrorise le silence qui perdure — mais que voulez-vous : on est pas des tizoiseaux pour rester en l'air indéfiniment, surtout si on voit rien — je cligne, je clignote et c'est épouvantable ce par quoi mon regard est attisé : sur la table, cette grosse tête coupée de l'un des grands bœufs d'exposition d'aBsalon-mOn-gArçon, hideux c'est avec le mufle entrouvert gorgé de sang coagulé, avec ce trou de balle en plein milieu du front, avec cette corne gauche cassée, avec ces yeux violets grands ouverts et les faces hilares de Baruch-l'aîné et de sopHOnie-le-beNjamIn comme gravées dedans ! —

JE PEUX PAS DÉCRIRE COMMENT C'EST C'EST pour aBsalon-mOn-gArçon dans son intérieur de tête, je peux juste laisser parler mes yeux : assis à l'amère indienne sur le plancher, la tête coupée de l'un de ses grands bœufs d'exposition sur les genoux, il beuglionne et de son sien front frappe celui de l'autre comme s'il espérait ainsi le ramener à son corps perdu — j'ai pensé me joindre à l'office, j'ai mis ma main sur l'atlas d'aBsalon-mOn-gArçon parce que je voulais qu'il comprenne que je comprends, mais je me suis fait revirer de bord dans ma bougrine et depuis, j'ose plus rien entreprendre tant cette veillée funeste pour une tête coupée de grand bœuf d'exposition me sidère, me modère les transports, me broie dans toute ma corpulence, m'effroie pire que si j'étais redeviendue statue de gel — «ah Mouman ! Ah MaMouman ! Ah MamaMouman ! — d'entendre habaQUq-mon-sEuL-tenfant lyrer à mon sujet me rappelle à mon devoir de maternitude, me force à l'aller rejoindre dans la chambre même si j'aimerais mieux pas laisser aBsalon-mOn-gArçon tout seul avec pareille tête coupée de grand bœuf d'exposition — mais que voulez-vous : on peut pas se séparer en quatre, même en deux c'est déjà pas faisable, fefis pequistes, frefrous adécuistres d'un bord et blœufs de l'ouest de l'autre, qui tirent sur la couverte du petrimoine sans que ça se partitionne d'un côté comme de l'autre, tant il est vrai qu'on fesse pas toujours ce que doit ! —

ASSISE DANS LE FAUTEUIL À TIPOIS VERTS, dame PantAléONne poRtELANCE s'est endormie, la bebouche creuse à cause qu'elle sommeille jamais avec ses fausses dents : elle les tient entre le pouce et l'annuaire comme deux titebêtes que la vie leur a mangé la laine dessus le dos tellement ça a été racommodé souvent et tout de travers, de quoi pas pouvoir ruminer avec profit, sans craquements tempestifs ni chuintements gloussotilleux — « ah MamaMouman ! » — je laisse là dame PantAléONne poRtELANCE à son sommeillage, je me préoccupe plus que d'habaQUq-mon-sEuL-tenfant, je l'approche et je lui souris grassieusement quand je le vois bien installé au mitan du litte, tout désabrillé, tout flambant nu (sauf dans ses moignons de jambes encore sous pansements), bebouche entrouverte, langue sortie, poing fermé sur sa blaguette qu'il manualise avec salacité, vélocité, fellacité — que je suis contente ! — j'avais tellement peur que la bactérie mangeuse de chair lui ait violé à jamais ses bijoux de famille, texticules promesséennes, queue bien longue et fort raide, que j'en grigouille de partout en mon moi-même juste à constater que tel c'est pas l'en-cas : ô jaillissant blanc-mange en sa pure liquidité, comme projet baleineux quand soufflent les vents entre l'auge de SAGuenay et l'abreuvoir des eScoumaIns ! — je m'allonge aux côtés d'habaQUq-mon-sEuL-tenfant qui halète, sa face comme figure d'angelot tant c'est tête heureuse d'avoir fait mousser autant son créateur — « ah MouManManMan ! Cé sibon, sibonbon, ah ouinche, ma MamaMouman, bobonbondaine ! » — je passe la main sur le sexuel du cher cefils, puis je la porte à mes lippes : ça sent le tout printemps quand c'est tout reviendoux, ça sent le bon sapinroides-forêts, ça sent l'heure du grosaire sous croix de chemin, ça sent la cigare et le tourni, ça sent le haut bois du rossignolet, ça sent le baiser de la langue française, ça sent la berceuse slavonneuse, ça sent le boum badiboum, ça sent la belle françoise, ça sent l'égo sum paupiette, ça sent le funiculi funicula ! — je presse habaQUq-mon-sEuL-tenfant dans mes gras de bras, je lui découvre un côté de ma poitrine, je le laisse m'apprendre le teton, je le laisse mordre dedans, je le laisse s'y boire, je le laisse s'endormir et quand ses jambes coupées cessent de battre contre mes cuisses, alors je dis : « c'est promis, mon tinange : quand tu seras tout gandi dans ton vécu, Mouman va se marier avec toi, boum badiboum, funiculi funicula ! » —

CE BONHEUR D'ÊTRE DANS LA FÉLICE CITÉ quand tout y dort et s'y adore, pas de danger que ça dure en éternelle béatitude, la vitupération prenant toujours le dessus sur l'accalmitude bien emmitoufflée entre draps propres, habaQUq-mon-sEuL-tenfant et mon moi-même dans les bras l'un de l'autre, collés nous l'étions hier, collés nous le sommes aujourd'hui, collés nous le serons demain, à faire rien d'autre que de nous rêver, une Mouman bien dans sa chair, le cher cefils miraculé, en cette clairière derrière la meson che nous, nous y effeuillons la marguerite, nous y trillons la framboise, nous y ramassons le pembina, et je me sens si reconnaissante parce qu'habaQUq-mon-sEuL-tenfant court à toutes jambes entre les tales fruitières, belles sont ses cuisses nues, comme celles d'un cycliste en tour de fLANChE, musclées, galbées, brunes comme croissants, pains-fesses et gâteaux des anges sortant du four, tant de plaisir, tant de joie et tant d'émois à faire comme tout le monde, mais mieux que tout le monde parce que la conscience est un long champ de profondeur extrême et qu'on y trouve son bonheur qu'après avoir vaincu son lot d'épreuves : soleil, soleil, soleil ! — comme c'est bon de pouvoir encore rêver en revitalisante chaleur ! —

MAIS LA VITUPÉRATION, L'AI-JE DIT OU RÊVÉ comme tout le reste ? — on me brasse, on m'écrit dans les areilles, je voudrais pas revenir aussitôt avec habaQUq-mon-sEuL-tenfant de la clairière derrière la meson che nous, je voudrais que ça s'emmitouffle encore davantage, que ça se colle encore plusse, que ça cesse pas de rire à tue-tête, lâchez-moi, je suis pas un pommier pour me faire escouer autant, je suis pas une tranche de bœuf pour me faire délicatiser avec si peu de ménagement ! — « réveillez-vous ! Réveillez-vous ! La cuisine va prendre feu si vous restez calée ainsi jusqu'au cou dans l'endormitoire ! » — j'ouvre le quenœil, la longue face en lame de couterau de dame PantAléONne poRtE-LANCE dans la mienne : « Vite ! Vite ! Le désastre court au devant de lui-même ! Faut réagir ! » — je sors du litte, j'abrille habaQUq-mon-sEuL-tenfant, je cours derrière dame PantAléONne poRtELANCE puis, le seuil de porte franchi, je m'arrête, charchant déjà après mon souffle et après aBsalon-mOn-gArçon — je pousse profond respir : il est pareil comme quand je l'ai laissé parce que le cher cefils voulait rêver qu'on lui avait greffé ses jambes coupées et que ça pouvait pas se remettre à marcher sans ma sollicitude — « que c'est c'est qui a changé depuis t'à l'heure ? » je demande à dame PantAléONne poRtELANCE — « t'à l'heure, c'était hier ! » — « j'ai dormi un aussi long rêve ? Pourtant, aBsalon-mOn-gArçon a pas bougé et il braille toujours, la tête de son grand bœuf d'exposition dessus ses genoux ! » — « s'agit pas de la même tête. Celle d'hier, aBsalon-mOn-gArçon lui a fait sépulture en fond de potager. Là, c'en est une deuxième apportée icitte-dedans par BARuch-l'aîné et sopHONie-le-beNjamIn ! » — je m'avance, j'examine, car pour moi toutes les têtes des grands bœufs d'exposition ça a le même appareillage, c'est carré en surface, c'est cornu long, c'est couleuré brun plutôt que rouge, ça a le quenœil glacide, le mufle proéminent et l'areille tite, tombante et pleine de poils fifollets, de sorte que c'est pas facile pour moi de miragiser à leur sujet et propos, prenant l'une pour sa totalité et sa totalité pour l'autre selon le principe des têtes communicantes en vase close — « me touche pas ! » beugle aBsalon-mOn-gArçon aussitôt que je lui effleure de la main le boutte de la crigne — et se redresse tusuite, pas beau à voir c'est son visage décomposé et cette tête coupée qu'il tient par ses cornes et qui sanguignole tout en caillots malodorants — je dis : « appelons la société protectrice de l'anima, appelons le ministère de la flaune, de l'environnage, de nos maladies, portons plainte et grief à la commission des bornes, des formes et des normes, faisons survenir la dureté policière, ne nous laissons pas succomber à l'intention, délivrons-les du gromal, ça presse en queue de poêlonne ! » — « tu comprends rien, l'hostie de christ ! Ils vont tous les tuer mes grands bœufs d'exposition, il en restera plus un seul de vivant t'à l'heure, je peux plus laisser faire, je dois l'intervenir ! » — et prend la porte aBsalon-mOn-gArçon, la tête coupée de son grand bœuf d'exposition à boutte de bras, et de partout s'élève la clameur en meuglements et beuglements tant bien tonnerrisants que tant mal tonnerrisés — doux juSujuSube ! — comment c'est c'est qu'on s'en vaille quand c'est c'est qu'on voye rien venir de l'avenir avec ses fros rabots ? — comment c'est c'est donque ? — comment c'est c'est donque et redonque ? —

À GRANDE EAU, DAME PANTALÉONNE POR-tELANCE et mon moi-même nous avons nettoyé la cuisine pour qu'habaQUq-mon-sEuL-tenfant peuve y reprendre place en sa couchette aux ridelles matelassées, puis nous lui avons donné le boire et le manger, puis jÔhny BONngGALOuPpttt est arrivé, il a pris la caisse de beurre noir dans son racoin, l'a portée jusqu'au litte d'habaQUq-mon-sEuL-tenfant, est monté dessus pour y faire sparages, tours de magie, simagrées et grimaceries comme à son accoutumée quand il rend vesite — ainsi qu'un gros sphinxter, l'atmospère s'est détendue à l'eau de rose, au bleu d'azur, au vert mignon et ça faisait chaud à voir et à respirer toute cette quiétude, à en avoir frémilles au boutte des doigts, à vouloir sortir l'accordéonne des boules à mythes pour enmorphoser la meson en set carré, rond et quadrillé — mais le temps manque toujours quand on en trouve enfin l'espace, il se retourne contre ton toi-même, il te saute à la gorge et cherche rien d'autre qu'à te faire mourir à l'étouffée, telle une plâtrée de légumes sur feu avide — « chantons ! » que je dis à dame PantAléONne poR-tELANCE et à jÔhny BONngGALOuPpttt. Chantons le funiculi funicula ! » — on bat des mains, on tape des piépiés, on se râcle le gor-gottonne jusqu'au fond de la guelotte, on se mouille l'alouette, on se délippe et se déliche, en pure perte d'énergie c'est parce que les muses sont de contre nous autres et s'entendent pour nous le faire assavoir avant qu'on en soye entre midi et quatorze heures : d'un puissant coup de tête de bélier, la porte s'ouvre, puis BARuch-l'aîné et sopHOnie-le-beNjamIn entrent, nous coupant à tous le sifflette tant ils paraissent menaçants, bardés qu'ils sont de toutes sortes d'armes, couteaux, coutelas, haches à double tranchant, sabres, casse-tête micmaques et malécites, tenailles, pistolets et pistolètes, coups de poing américains, coups de genoux arabiscottés, ciseaux, fers à repasser, serpes, faux, faucilles, arrache-clous, sciottes, scies rondes et forceps, toute leur corporation en est couverte, même leurs dents sont armées longues et si incisives que c'est impossible que ça entende à rire — « où c'est que l'enfant de blœuf de BSalon se terre ? » demande BARuch-l'aîné en faisant cantonade de sa ferrailleuse panoplie de guerrier naziste — je réponds : « on en sait rien parsonne, sauf qu'aBsalon-mOn-gArçon est sorti t'à l'heure et qu'on ignore où ni pourquoi ni seulement si c'est pour longtemps, à jamais ou pour si peu » — sopHONie-le-beNjamIn redresse aussitôt mes torts en fulminante escalade : « BSalon a forcé la porte de l'établelichement che nous, il nous a volés notre plus grand bœuf d'exposition et s'est sauvé avec. Faites-nous pas accrère que vous en savez miette et niette, maudite marde ! » — j'ai beau persister en ma malversion des faits, pas de pires sourds que les ceusses que leurs dieux sont plus forts et mieux armés que les tiens — BARuch-l'aîné regarde habaQUq-mon-sEuL-tenfant qui se montre tout asssoupli dans son litte, et dit : « il lui manque déjà deux jambes et c'est déjà pas trop regardable. De quoi c'est c'est que ça va avoir l'air tantôt avec deux bras en moins ? » — s'en prendre à un titenfandicapé ! — juste d'en manifester l'intention, ça dit jusqu'où c'est rendu bas le genre de monde dans quoi ça sévit, ben assez pour prêcher le retour de la grande noirceur, quand tout un chacun arboricolait scrupulaires sur la poitrine, ceinture fléchie de chasteté sur les parties monteuses, consticataplasmes sur le trou du culte et blablatin de cuisine porteur de paraboles evengélételligeantes, si douces à l'areille : « lâchez les tizenfants après moi, laissez-les me viendre dans les mains, heureuse la titecruche si tinnocente au royaume du plaire, si jaculante de hautes raisons quand ça se chante en chœur et jubé, avec grandes et tites morgues, oh les mousses, gueloire à vous au plusse haut des prieux ! » — ainsi je chante pour juguler la menace, pour que BARuch-l'aîné et sopHONie-le-beNjamIn restent à bonne distance d'habaQUq-mon-sEuL-tenfant, dame PantAléONne poRtELANCE et jÔhny BONngGALOuPpttt à mes côtés, nous avons la froi, l'excédérience et la clarité de notre bord, nous sommes pierres et dessus ces pierres-là jamais les portes de l'an de fer prévautreront ! — « c'est ce qu'on va voir et pas plusse tard que tusuite ! » disent ensemble BARuch-l'aîné et sopHONie-le-beNjamIn en faisant fort cliquer et claquer leurs armes en panoplie guerrière, de leurs têtes à leurs piépiés, en purs nazistes réincarnés, mon combat, ta fureur, tout le monde le parle, donne-moi z'en donc ! — odieux et hilares, s'avancent vers nous BARuch-l'aîné et sopHOnie-le-beNjamIn, coutelas dans les mains, couteaux entre les dents, tels des porcs hérissés dans leur suif, à mourir de peur c'est, à vouloir prendre ses jambes à son col et fuir et s'éfuir et s'enfuir sans enfuiler sa veste — devant tant d'adversité, combien de temps pourrons-rester ainsi en ligne, en sauvegarde d'habaQUq-mon-sEuL-tenfant qui ronfle, ses longs bras ballant dans le vide, comme invitation au sacrifice, si bropice, si broche, si bovincial, si broximal ! —

COUTELAS ET COUTEAUX FENDENT L'AIR DEvant nous, puis les bras de fer de BARuch-l'aîné et de sopHONie-le-beNjamIn se brandissent au-dessus de nos têtes et ça va frapper fort le fort, mais pas question qu'on bronche dame PantAléONne poRtELANCE, jÔhny BONgGALOuPpttt et mon moi-même : nous sommes comme des hyhaines qui défendent leur appétit, on va devoir nous passer dessus le corps si on veut le mettre à mal comme s'il était rien d'autre qu'un taurillon inapte à deviendre grand bœuf d'exposition ! — de tout l'air comprimé en nos poumons, nous chantons le funiculi funicula et ça fait pareil à une ligue de défense imagimagino entre nous et les nazistes BARuch-l'aîné et sopHONie-le-beNjamIn : leurs couteaux et leurs coutelas vont s'y casser les dents et tout le reste de leur panoplie va faire de même, acier détrempé, métal déshurlé, fer se désenforgeant, nacre navrant, argent en déséquilibre fliscal, or et bronze fondus en étalons peuproux chers pour l'once, la ponce, la ronce et la tronche ! — alors que le premier coup de sermonce va m'atteindre le gras de la cuisse gauche, un beuglement à écorner le vent tire tout un chacun de ses attentions : c'est aBsalon-mOn-gArçon qui survient enfin comme un grand bœuf des routes, anneaux aux areilles et dans le mufle, étoile du berger au milieu du front, bebouche épaisse couleurée rouge sang comme bras et poings fermés — et beugle encore aBsalon-mOn-gArçon, sa grosse voix faisant trembler la meson de sa cave jusqu'à son comble : « maintenant que mon grand bœuf d'exposition est en son abri et que personne sauf moi peut l'y voir ni même l'atteindre, la joute va se jouer à ma façon ! Voyez voir ça en l'instant même, christs de christs, quatre par banc sur le chiard des innocents ! » — aBsalon-mOn-gArçon desserre les poings, faisant voir deux areilles tranchées à ras de tête et que la vie bouge encore dedans parce qu'elles sautillent sur les paumes comme titegrenouilles de sapristie, puis volucifère pour BARuch-l'aîné et sopHONie-le-beNjamIn : « c'était accroché après la caboche de la poudrée d'eau douce que vous avez ramenée avec vous autres deux du grAnd MORial, fausse flée des étoiles, grébiche, greluche et gredaille saudite ! Si vous arrêtez pas de m'écœurer, le nez va suivre, puis les doigts de mains, puis les doigts de piépiés, puis tout le reste aussi ! Une fois que c'est parti, il y a plus de limites à l'action mutile ! Vous aviez qu'à pas commencer parce que comme ça, j'aurais pas besoin de mal vous finir ! » — aBsalon-mOn-gArçon dépose les deux areilles sur la table, ça frétille toujours comme tipouessons de che nous, c'est pas le yiâbe ragoûtant, surtout pour BARuch-l'aîné et sopHONie-le-beNjamIn qui regardent, un brin déconstanciés : « ah ben, ah ben mon maudit ! Ah ben, ah ben mon maudit fou ! » hurle sopHONie-le-beNjamIn en se jetant sur aBsalon-mOn-gArçon, toutes ses armes sonnantes et trébuchantes en état d'alerte oranginiste — « tu vas voir c'est quoi c'est c'est un grand bœuf d'exposition quand ça se fâche, mon calvéroussel ! » beugle encore aBsalon-mOn-gArçon fonçant à cornes rallongées, faisant virevolter sopHONie-le-beNjamIn comme sac de graines vides avant de l'envoyer l'affaire en l'air sur la bavette du poêle à bois — il y resterait, la tête étampée sur le chevreux de fonte, si BARuch-l'aîné exerçait pas son droit de traîtrise pour s'en prendre par derrière à aBsalon-mOn-gArçon, lui faisant la clé-de-corps-gaglianesque — s'en libérer demanderait des forces hors du commun, et encore faudrait-il que sopHONie-le-beNjamIn renaisse pas des cendres du poêle à bois, la figure ensanglantée et toute grimacieuse comme en portent les yiâbes de tasmacaronie quand leur pogne le feu au culte — il mord, le chien enragé, s'agrippe aux cheveux d'aBsalon-mOn-gArçon qui se met à tourner sur lui-même en espérant que sa force centrifuge aura raison de l'adversité malgré les coups de couteau, de hache à double tranchant, de sabre, de casse-tête micmaque et malécite, de tenailles, de pistolet et de pistolète, de coups de poing américains, de ciseau, de fer à repasser, de serpe, de faux, de faucille, d'arrache-clous, de sciotte, de scie ronde, de clé anglaise et de forceps que lui assène BARuch-l'aîné — finit enfin par lâcher prise sopHONie-le-beNjamIn et c'est avec dans chaque main une poignée de cheveux d'aBsalon-mOn-gArçon qu'il nous fauche comme champ de blés dame PantAléONne poRtELANCE, jÔhny BONngGALOuPpttt et mon moi-même avant d'aller s'écraser sur le litte d'habaQUq-mon-sEuLtenfant, le brisant en mille corpeaux dans son contreplaqué, ses montants en chêne tigré, ses ridelles en peupleplié — ô doux jEsusjEsubE ! — nous pensons juste à sauver le cher cefils, quitte à remettre malgré nous sopHONiele-beNjamIn dans les jambes d'aBsalon-mOngArçon, et ça arrive exactement comme il le faudrait pas, par ce dévastateur coup de tête dans les parties monteuses qui lui coupe les jambes et lui font tomber les bras : « on te l'avait dit que c'était mieux pour toi de plier bagages et de décabaner si tu tenais pas à te retrouver en bas de la galerie sans en descendre une seule marche, maudit t'innocent ! » dit BARuch-l'aîné — ça ruisselle de sang jusqu'à nous autres qui essayons d'extraire habaQUq-mon-sEuL-tenfant de l'amas de débris et quand sa tête apparaît enfin, c'est menuitte moins lune pour lui à cause des deux poignées de cheveux d'aBsalon-mOn-gArçon qui ont trouvé place entre ses lippes et qui sont en train de l'étouffer raide — « ah Mouman ! A peur, a peur, ah MoumoumoumaMouman ! » — de dehors, nous parvient un beuglement si malaigu que la vitre du vaissellier s'en fracasse — « je vais voir ! Je vais voir ! » dit jÔhny BONgGALOuPpttt tandis que je mets la tête d'habaQUq-mon-sEuL-tenfant sur mes genoux et liche la blessure à sa tempe si chaude pour qu'elle s'envenime pas — jÔhny BONgGALOuPpttt ressoud dans l'aussitrot comme un ressort et dit : « faut appeler l'ambulancerie : aBsalon-mOn-gArçon gît en bas des marches dans une amertume de sang, avec le col cassé, j'ai ben peur ! » —

DEPUIS, JE REGARDE TOMBER LA NEIGEANTE neige, le spasme du vivregivre une autre fois, mais l'ardeur s'y faille, je compte plus guère sur les heures comme espoirance d'en sortir tant ma batterie est à terre, c'est rugubre, trénèbrieux, morne plainte tous les jours, tant de froid par dehors, tant d'effroi par dedans, je gèle, congère au gré, je m'englace, me frimasse, me frigidifie, si congelée, si encalée creux sous glacier rigide, ossiantume d'hivernantes glaires, gloire toute soye au patin, au bâton, à la saine rondelle sur patinoire en forme de frosse commune, que j'aguis la morte raison, que j'aguis la forte saison, sous zéro mon corps, mes humeurs, mes larmes, mes tumeurs, mes rumeurs, je dis un mot, ça a peine le temps de me sortir de l'orifice que syllabes se cassent, que sens s'y perd, même l'higlou dans la forêt porte plumes polaires, je fissionne en frissons, frictions et affrictions, je sens plus mon sang, mes nerfs, mes muscles, ma mouelle tant je végèle et que ça fait tout pareillement à l'entour de mon moi-même : ô doux jeFUSejEluge : quand reviendras-tu ? —

DEPUIS, JE REGARDE S'ENCOMBRER LA TEIGNANTE neige devant la fenêtre que je me tiens assise derrière, je reconnais rien dans le paysage veule, aveuglant, escamotant, qui s'efface à chaque coup de vent, puis se reface à chaque coup de revent, des arbres peut-être, des pans de tuf mis à nu peut-être, des pieux de clôture en boutte-froid peut-être, des tales de framboisiers, de cerises à grappes et de pembina peut-être, la meson che nous dans son autrefroid peut-être, avec son verger devant, son potager, son champ de blés peut-être, sa rivière laboilalOUCHEcache derrière peut-être, son grand bœuf d'exposition monté par aBsalon-mOn-gArçon, fier-pet en sa queue de cheval, en sa blaguette de guevalle, si raides c'était les deux et si roides sont-elles maintenant, à jamais peut-être, car quand le peu d'être s'atomise, à quoi te raccrocher si c'est pas au peut-être, peu d'être, peu, peu, si pleu, si peuple plié, ouplié sous ptombante, pteignante pneige pneigeante peut-ptêtre, ô pdur JaifretteJeglace ptêtepfrèche ! —

J'AI DÉTOURNÉ LE REGARD DE LA FENÊTRE, cherchant après dame PantAléONne poR-tELANCE et jÔhny BONgGALOuPpttt, mais je vois rien d'eux autres: sont partis tantôt malgré bourrasques de mars, frésil de février, poudrerie de janvier, tempête du siècle de décembre, verglas de novembre, pour se rendre à l'hôpital notre-neiGE-des-Lames afin de voir aBsalon-mOn-gArçon qui s'y est alité, sa jambe gauche et son bras droit dans le plâtre, son cou dans un carcan, sa tête sous une manière de casque de crêmeur gansé à ses areilles, qui lui protège les deux poignées de cheveux que lui a arrachées sopHONie-le-beNjamIn et qu'on lui a replantées dans la peau crânière, mais sans beaucoup d'espoir parce que les humeurs d'aBsalon-mOn-gArçon sont pas de son bord par les temps qui stagnent — c'était déjà pas drôle avant quand ses histoires avec son défunt père faisaient de la cauchemardise de la plupart de ses nuittes: ça le réveillait en belle éprouvance, ça frappait de ses poings sur les murs, ça criait à toute trompe : « je vais te tuer, mon écœurant, mon chien sale, mon enfant de cochon ! Je vais te crucifier dans la porte de grange et te délarder à tifeu, mon peurécœurant, mon perchien sale, mon perdenfant de cochon ! » — des claques sur le mâche-patate j'en ai mangées à cause de ça, et des coups de piépié au culte, et des fessées et toutes sortes d'autres agressives dépenses, à en avoir le renquier dévertébré, les bras en esquimauves, des bleus, des rouges, des kakadois, des violaines, des violantes partout ailleurs, à plus pouvoir m'assire dessus, à plus pouvoir rester deboutte, à plus pouvoir même demeurer couchée ! — dessus une patte, dessus l'autre, en faux fusil, en œuf coulant, en clam de grève, en publisac, en couronne d'épines : j'ai tout essayé, tout tressaillé, mais sans que l'allumette s'embrase jamais en boutte de tonnelle — un bardeau manquant que ça s'appelle, queque part entre le temporel et l'arbitraire, entre le pèriétal et le malhaireux — faut dire que quand tu te fais sonner les cloches en descente d'escalier sans marches comme c'est arrivé à aBsalon-mOn-gArçon, c'est pas là de quoi c'est c'est te renmieuter l'acromignon et l'astragrave ! — d'un simple bardeau manquant, tu passes à plusieurs et ça se joue plus pareil dans la matière grise : plus souvent qu'autrement, aBsalon-mOn-gArçon délire donc dessus son litte d'hôpital, on lui donne trop d'opium du peuple plié à fumer, car il dit vouloir se présenter comme pequiste fefi aux prochaines élections bovinciales, lui qui les a toujours eus, les fefis pequistes, dans le trou de son culte ! — si on change sa médication en mettant ses gaz au vert, le voilà qui parle plus que de fourrage adécuistre qu'il veut qu'on lui apporte à l'hôpital par pleines bottes de foin et pleines auges de graines mélangées, il meugle et beugle comme le grand bœuf d'exposition qu'il a volé à BARuch-l'aîné et sopHONie-le-beNjamIn, et qui est resté, le dit grand bœuf, introuvable malgré les battues sur les emblavures et rasage des dunes et des aulnes du fronteau jusqu'au trécarré de la terre qu'ils ont reçue en irritage de TOBune-son-père et TOBune-sa-mère, les affreux, les sans-allure, les ingratifiants, les insignivieux, à mettre dans le même sac que BARuch-l'aîné et sopHONie-le-beNjamIn, meules au cou, pour l'aller sans retour au fond de la rivière trois-SystOleS ! —

JE BOUGE D'UN BORD DE FESSE GAUCHE, PUIS d'un bord de fesse droite pour activer le peu de sang mêlé qu'il me reste encore dans la corporation, je détourne le regard de la fenêtre, je veux plus voir tomber la neigeante neige, souffler le vent et se glacer comme miroirs les champs poudrés, fardés et damés dur — je devrais me lever pour aller mettre une bûche dans le poêle, je devrais me lever pour enfourner croissants, pains-fesses et gâteaux des anges qui sont parfaitement moulés dessus le comptoir, mais j'ai peur de me fissurer si je me redresse et me mets au pas, j'ai peur de me vitrifier par titéclats de gel et de plus pouvoir me rassembler, de rester comme un point de souspensionnée en l'air, pareille à ces fantômes qui déambulent à deux piépiés de plancher dans la meson icitte-dedans, Ô BON GALOP que ça s'appelle et ça se présente comme gîte du passant que gèrent dame PantAléONne poRtELANCE et jÔhny BONngGALOuPpttt en bordure de mer sur ce buton en forme de pain sucré, avec les escoumAINs tout drette devant de l'autre côté du fleuve — j'y héberge avec habaQUq-mon-sEuL-tenfant depuis ce jour-là de la grande calamité, et nous sommes les seuls à y gésir à cause que les tempêtes succèdent aux tempêtes et que c'est pas tous les touristes qui ont un skidou en guise de charrette à neige — et puis, Ô BON GALOP a mauvaise réputation, c'est peu tenable et mal tenu, il y a dans tous les racoins plein de gros sacs verts dont on sait pas de quoi ils sont remplis, on trouve des épluchures de patate sous les meubles, des cœurs de pomme, des peurlisses d'orange, des titrognons de chou, la poussière roule par mottons sur le plancher, il y a du poil de chien et de chat partout même si dame PantAléONne poRtELANCE et jÔhny BONngGALOuPpttt ont ni chiens ni chats, mais souris et mulots en surabondance, qui grugent les fils zélectriques et font se répandre le bran de scie qui sert d'isolant dans les entreplafonds — pourtant, dame PantAléONne pôRtELANCE et jÔhny BONngGALOuPpttt cessent pas de frotter, de récurer, d'astiquer, de cirer, de passer balayeuse par-dessus et aspiratrice par-dessous, ça fait propre même pas une heure, puis la saleté reprend ses laizes — c'est à cause des fantômes prétend dame

PantAléONne poRtELANCE et j'en discute même pas le bien-fondé, car je les vois manœuvrer moi aussi : des fois, c'est sous forme d'une paire d'areilles qui flacotent de bord et d'autre de la meson, ou ben c'est TOBune-samère qui, toute décrianchiée, fait steppettes au milieu de la glace, yiâbles teints, lucifériens, serrelafaim, baiselapiasse, dominiums, si nombreux ils se frémoussent que c'est impossible de tous les gnommer — mais quelle sacrabande d'enfer font tous ces lutins, mutins et mutants que même l'exorset à répétition pourrait pas leur faire rendre l'arme à gauche, si grand le désert noir s'est-il infiltré dans la chose-trappe en ectoplasmes fantasques et ferfelus, en féefilles très railleuses et récits croches —

« MOUMAN ! MOUMAMAN ! » — JE CESSE de cogner des clous, je redresse l'entêtement, je tends bras et main, je laisse habaQUq-mon-sEuL-tenfant s'en saisir et les porter à ses lippes, je dis : « sois tranquille, mon tinange : Mouman t'aime, Mouman va se marier avec toi quand tu seras tout gandi» — il répond pas, habaQUq-mon-sEuL-tenfant répond plus quand je me mentionne à lui, ses yeux sont de la graisse de rôti gelée raide, ça regarde nulle part et c'est pareil pour le reste de son corps, les nerfs sont distendus, le moindre geste demande un effort surhumain, juste dire «Mouman!» c'est en soi une épopée de brillance et d'exploit: on dirait que depuis qu'on s'enfonce dans le mauvais temps, habaQUq-mon-seul-tenfant désapprend ce que j'ai mis des années à lui montrer pour qu'il prenne langue — je sais ben qu'il disait pas grand-chose, une dizaine de mots pour tout vocabulaire et jamais plusse que trois ensemble et dans le bon ordre, mais c'était dans le sujet de l'amélioration, je pouvais espérer qu'au fil du temps ça ferait juste assez de tipetits pour créer comme une mince ligne de musique entre lui et moi, entre lui et le reste du monde — j'ai jamais pensé que le cher cefils pourrait devenir premier sinistre ou cardimal en romeunesque curée parce que je trouve de toute façon qu'il y en a trop de ce genre de monde-là, qui parle pour rien dire, et rien nous faire vivre, pas aussitôt engagé dans le chemin de queque chose que ça vire de bord, frappé en pleine face par leur siècle des lumières, si bon c'était l'hier, si pourri c'est deviendu l'aujourd'hui, mais quel progrès ce sera le demain pour l'humaine nullité, en rouge, en bleu, en vert, quand seule la gridaille conviendrait — oui, j'espérais qu'au fil du temps ma sollicitude par-devers habaQUq-mon-sEuL-tenfant créerait comme une mince ligne de musique entre lui et moi, entre lui et le monde, du genre : « cé beau, cé bon, si si si Mouman, je tème comme tu mèmes, la la la Mouman, jesuben mi mi mi Mouman, cébeaucébon, do do do ma ma ma Mouman ! » — ça aurait été presque rien, mais la soprano coloraturée en mon moi-même s'en serait contentillée, elle aurait eu certitude de pas avoir aigri dans le vide, avec un corps en débriscaille comme l'est tout deviendu le mien — tant de passé mal repassé, tant de présent mal passable ! — « Mouman est là, Mouman tème, Mouman va se marier avec toi quand tu seras tout gandi ! » —

DE LA POCHE DE MA ROBE À TIPOIS VERTS, j'ai sorti le flaucon parce que c'est l'heure de donner sa médecine à habaQUq-mon-sEuL-tenfant : ça a été un grand choc pour lui quand sopHONie-le-beNjamIn lui est tombé dessus et qu'il a failli s'étouffer avec les deux poignées de cheveux d'aBsalon-mOn-gArçon — le risque est grand pour que ce grand choc-là dégénère en crise d'épilepsie qui est une maladie que tu finis par avaler ta langue si tu fais rien pour la prévenir — j'ai vu les images que ça donne quand j'attendais à l'hôpital le réveil du cher cefils et j'en ai eu mal au cœur pendant trois jours tellement c'était affreux cette langue qui se mangeait elle-même jusqu'à fond de glotte : parler peu, parler mal, parler pour rien se dire, parler sans rien vivre, c'est tout de même parler, c'est signe que l'espoir est pas tout mouru, mais s'étouffer parce que la langue s'enroule sur elle-même et va par derrière plutôt que par devant, ça veut dire dans mon tilivre à moi que la fin s'approche sur la pointe de ses phrases comme une voleuse que tu peux plus rien essayer de contre — je devrais faire ingurgiter trois pilules à habaQUq-mon-sEuL-tenfant, mais il en reste plus qu'une seule dans le flaucon — ça devrait toutefois suffire en attendant que dame PantAléONne poRtELANCE et jÔhny BONnGgALOuPpttt reviennent de l'hôpital et de la pharmacie que l'ordonnance a téléphoné tantôt pour aviser que la commande était prête à se délivrer — pour être sûre que tout se passe bien avec habaQUq-mon-sEuL-tenfant, je mets les doigts en sa bebouche, j'y cherche la langue et, quand je la trouve, ben tranquillisée entre le palais et la mâchoire inférieure, je chantouille : « dors mon cher tinange Mouman veille dessus toi Mouman prépare son trousseau pour se marier avec toi quand tu seras tout gandi » —

JE ME FAIS VIOLENTE PARCE QUE JE VEUX PAS me remettre à cogner des clous en regardant dans la fenêtre le paysage s'épaissir, si laitteux, si lainneux, comme une pleinne chaudronnée de blannc-mannge — et moi qui trouvais avant que blanc-mange est le plus beau mot de ma langue quand ça se parle franclaise et claire et glaise et vlaise, je vois plus rien de bon dedans, qu'un arrondissement de flaucons, de gluaux et de glains nuls, glenus, glapilleux, glatinés, glavides, glenouillants, glippés, glutteurs, glutturistes, glipettes et j'en passe et j'en repasse dans ma tête, mais je découvre rien dedans pour me faire bonne image comme dans le naguère quand viendait en mon moi-même aBsalon-mOn-gArçon ou qu'habaQUq-mon-sEuL-tenfant prenait plaisir à se mousser le créateur — blanc-mange c'était, mais ce blanc-mange-là était ravigoûtant, rêvevivifieur, riviérisant, rovélutionniste, ruvisurgissantisme, tandis que maintenant, vu de la fenêtre, ça dit rien que le frette, le gelaucœur, la glacenôtre, le délujeuner en poudreuse chute du grien évanescent — et tant qu'â être prise là-dedans par-dessus caboche et cabochon, je préférerais affronter les fantômes qui déambulent icitte-dedans à deux piépiés du plancher, sous forme d'areilles frétillantes, de têtes coupées de grands bœufs d'exposition, de queues de guevalle déracinées et sanglantes — « fais dodoO titenfant doO car Mouman veille et surveille son coffre de mariée à ses piépiés qui va déborder de partout t'à l'heure quand tu vas te dédodotitenfantdododiser si gandi en corps en esprit en action qu'on va convoler s'envoler pour les siècles dans le siècle cher tinange à sa Mouman qui fait do qui fait do do mais si mais si do do do la do yé ! » —

FULMINEUSE BOURRASQUE DE VENT LORSQUE dame PantAléONne poRtELANCE et jÔhny BONngGALOuPpttt entrent dans la meson, bonnefemme et bonhomme des neiges en flauconnelle, qui se désembourbent en se frappant du piépié gauche sur le droit, en se brassant têtes de tuques et paupaulettes d'orignal épormyable, puis faisant tomber ceinture fléchie et capots de chat sauvage, en bonne voie de réchauffement de leurs planètes se trouvent-ils enfin, jÔhny BONgGALOuPpttt desserrant les dents, disant : « la tempête culmine, c'est plus allable dans les chemins, y a partout des blancs de neige à hauteur du col » — ajoute aussitôt dame PantAléONne poRtELANCE qui a lu sur mes lippes mon point d'interrogation par rapport à aBsalon-mOn-gArçon : « c'est pas encore ben facile pour lui de faire la part des chausses et de comprendre pourquoi on lui impose la camisole de force, il s'imagine que c'est à cause de la carabine qu'il prétend avoir sur ses genoux pour tuer avec BARuch-l'aîné et sopHONie-le-beNjamIn s'ils osent se montrer la face à l'hôpital, il veut pas savoir que les deux ont levé le flague avant la tempête, pour la florida-baHAMacleportorico ou dieu seul sait vers où c'est c'est que ça a pris poudre d'estampette et patrie prise » — dame PantAléONne poRtELANCE se taît, elle a lu les points de suspension sur ma lippe et a compris que j'en sais déjà assez long de même sur aBsalon-mOn-gArçon : quand la camisole de force sera deviendue une habitude pour lui, il pourra plus s'en sortir, gelé si roide en son demeuré que le prochain printemps va passer à côté de lui sans le voir, sans le vouloir dans sa ouaguine ni nulle part par ailleurs — « gardez courage, même un simple zeste c'est mieux que rien », dit dame PantAléONne poRtELANCE en infusant le thé haché en titefeuilles mordorantes qui font surface dans le tipotte vitré — je me suis laissé tomber sur la première chaise à portée de fesse, je suis dans le pétrin jusqu'aux areilles, je suis dure pâte jusqu'aux coudes, je suis enfarinée solide jusqu'aux mollets, je broie du blanc, tant de blanc mauvais que j'aimerais mieux pâtir rouge dedans l'enfer en râclette chinoise, en pâture quebecoise, en n'importe en qui dans son importe en quel si c'est moins souffrant, moins essoufflant, moins essourdissonnant que d'être viendue au monde en boutte de rang et d'avoir jamais pu en occuper un seul! — «buvez! dit jÔhny BONngGALOuPpttt. C'est moins d'effroi dans le dos quand on s'enboissonne» — je tremble trop des lippes pour pouvoir les tremper dans le thé, je laisse frédir, comme un tichâteau froIDEnac sur la table, la banquise va sortir à cinq heures et ce sera l'état de gel permanent, qu'y faire, quoi taire, pourquoi donc crairais-je son contraire? —

«MAM! MAM! MOUMAN!» — J'AI PAS entendu l'appel d'habaQUq-monsEuL-tenfant, je voulais rien ouir, et rien voir aussi, mon quota de résistance tout atteint, mon quitus d'existence tout descrit, car ainsi tombe le gros nerf en cours de déroute, en futilante fatigue, en fuitolant épuisement, plus moyen de moyenner de contre, le brise-glace a frappé la banquise qui sortit à cinq heures et depuis ça croule en temps éperdu parmi les ombres et les nombres, grâces soient au plaire, au fil et au sain esprille, en cette mévie comme dans l'aubre, ô doux-amer JUuSeJUuSe ! —

« MAM ! MAM ! MOUMAN ! » — CETTE FOIS-ci, le cri me touche comme venu d'un chœur en l'église notre-neige-des-dARNes et je peux pas faire autrement que d'aller au chevet d'habaQUq-mon-sEuL-tenfant, dame PantAléONne poRtELANCE et jÔhny BONng-GALOuPpttt sur mes talons — pauvre mon tinange tout de travers dans son litte, bras et couvertures entremêlés, moignons de jambes trashautant, mâchoires en train de se contracter, yeux virés fous vers son intérieur de tête — je dis : « vite ! Vite ! Donnez-moi son médicament, car autrement le cher cefils va tomber en crise épilepsique ! » — bajoues et badingoinces leur tombent tusuite du visage à dame PantAléONne poRtELANCE et à jÔhny

BONngGALOuPpttt: «on avait tellement peur de rester pris dans la tempête qu'on a pas pensé passer par la pharmaprix!» — des fois, on devrait avoir le droit de tuer sans tenir séance tannante ni tribunal de guerre quand l'incompétence est aussi criante, le manque de jurement aussi grillant, la neigligence aussi stressante! — heureusement que je suis accoutumée à ce que ça aille mal et heureusement aussi que je trouve toujours moyen de parer le pire! — je sors donc de la poche de ma robe à tipois verts la demie d'un barreau de chaise que j'ai poncé à la pierre polissière et avant qu'habaQUq-mon-sEuL-tenfant ait le temps d'enserrer complètement ses mâchoires l'une dans l'autre, j'interpose la demie du barreau de chaise pour qu'il morde dedans, pour que sa langue y colle au lieu de se déjeter toute enroulée sur elle-même par en arrière à fond de glotte — je dis: «c'est rien d'autre qu'une mesure transitoire: si on porte pas tusuite le cher cefils à l'hôpital, on est aussi ben de chanter messe noire dès maintenant!» — «je vais réchauffer le pick-up. Dans deux minutes, on part!» que dit jÔhny BONngGALOuPpttt en faisant courant d'air dans la cuisine, tandis que je greye le cher cefils et que dame PantAléONne poRtELANCE en fait autant de son bord — puis je fais glisser habaQUq-mon-sEuL-tenfant jusqu'à l'enclavure de ma flanche, gardant mes areilles dans le crin pour pas l'entendre chialer, gardant mes yeux tête basse pour pas voir la bave qui coule sur son menton, toute blanche, mais à la veille de rosir, mais à la veille de rougir à cause des morsures dans l'intérieur des bajoues et en boutte de langue — «habillez-vous! Mais habillez-vous, ouéyons!» que dit dame PantAléONne poRtELANCE parce que je m'apprête à sortir avec juste ma robe à tipois verts sur le dos et mes pantoufles de feutre mou aux piépiés — «pas le temps! Pas le temps! L'urgence, vite, vite!» — et habaQUq-mon-sEuL-tenfant ben agrippé à ma flanche, je me jette dans la tempête enforcenée, je me jette en travers du vent, je me jette sous des tonnes et des tonnes de neigeante neige, je me jette, je m'y jette, corps, cris, crissements, l'hier plein le ciel, l'hiver plein la pelle, plein la terre, plein le chemin, à cœur fendre la pierre c'est, tant et tant de glaçons, tant et tant d'hiever quand c'est pas allable dedans même pour un orignal épormyable — raison morte, que je t'aguis donc! —

DANS LA BOÎTE DU PICK-UP QUI FERME MAL par derrière, je suis assise dessus un sac de grosse laine minérable, habaQUq-mon-sEuL-tenfant sur mes genoux, que je presse fort de contre moi — mou comme de la guénille c'est, on dirait que je serre un gros ver de terre dans mes bras tant la forme s'est disloquée, tant la forme s'est allongée, tant la forme s'est dévertébrée, je cherche les membres et je trouve que cette toute titetête en forme de fétus, jaune comme paille, figée comme grimacerie dans la pierre ponce, yeux désorbités, gros pareils à des tinœufs de pâques, qui pendent sur les bajoues, vitrifiés bleu ciel sur fond rouge sale — est passée la crise d'épilepsie, la bebouche d'habaQUq-mon-sEuL-tenfant a cessé de glutir, de glutiner, de glutiller, la bave s'est arrêté de couler aux commoussures des lippes, sa langue s'est sûrement désenroulé de la glotte à l'entrée du palais, ça serait temps que j'enlève la demie du barreau de chaise, mais les dents ont tellement mordu dedans, les mâchoires se sont tellement apesanties dessus que j'arrive pas à en extirper la demie du barreau de chaise — et puis, mes doigts sont à ce point-là gourds que j'enfilerais même pas l'anguille dans le chas d'un chameau si j'avais l'une et l'autre à portée de mains — « est-ce que ça va ? » me demande dame PantAléONne poR-tELANCE en passant la tête dans la grande lunette cassée du pick-up — je voudrais ben lui répondre, mais je trouve rien à dire et je le trouverais ce rien-là à dire que je saurais pas comment le faire advenir, ma tête est vide comme la caserne d'alibLAbLA après que les valeurs se sont passés le mot dedans, comment perler parmi tant de cruches vides, de jarres décrianchiées, de barils démotivés, de coffre-forts déphrasés, tout le trésor de ma langue franche, seizième cycle, vingtième siècle et dernier cercle, dilapidé, désujettisé, déverbuturé, décomplémentérisé, en sa phrase terminale, rien que de l'adverbial et prépositinationanal avenir : ptêteben, sitanpossibe, coudonchose, sansmaintenantniaprès, sûrsur, commerien, déjà-detrop, invivantementable, enamourablement, plaintiffement, frixes et suffrikes, adamnant, èvadamnante, han han, hantant, retardissablement, hen hen, hennui, hen hen, hennuitablement, hon hon, hontemangeablement, hun

hun, hundifféremment, si laisseulée, seularideté du rien, mortiférablement, mortadellement, mortifrigidifiantement, mord, mors, mordemonne, mort, mort, mordemoune : où est ton tas d'histoires en poncif, en effaction, en lavenir, sansmaintenantniaprès, coudonchose, sitantpossible, ouais, ouin, ptêtebenquenouiptêtebenquenion — je fais mon possible pour pas penser à la tempête, je fais mon possible pour pas entendre le vent qui fiffle alentour du pick-up, je fais mon possible pour pas voir qu'il y a plus de balises le long de la déroute, que les clôtures sont toutes disparues sous des piépiés et des vergetubes de neige, à peine un poteau qui surneige de temps en temps, un pan de bâtiment, un toit de meson, un arbre mort au sommet d'un buton, pas âme qui revive là-dedans, pas de chien enragé blanc, pas d'élan de mamérique enfargé blanc, pas de skidou embrayé blanc, juste des ourlets de chaque bord, à hauteur de boîte de pick-up blanc-sablonné — impossible dans tant de blanchiement de savoir où c'est qu'on s'en va et si seulement on y va — « courage ! Ça va aller plusse vite maintenant. On entre dans un couloir de vent, la déroute est en surplomb, la neige sera moins encombrante ! » me dit dame

PantAléONne poRtELANCE, la tête passée dans la lunette brisée du pick-up — je jette un quenœil par devant, je vois que des essuie-vitre qui vont et viennent, chassant la neige, mais fournissant mal à la demande, de sorte que la déroute est peu vesible, une seconde ça se laisse voir, une éternité ça redevient blanc mangeantout et ça le reste avant un nouveau battement de cils des essuie-vitre — le moteur du vieux pick-up vrombiscoume, le plancher mal assujetti de la boîte tressaille, on dirait qu'on est l'épicentre d'un trembleterre, j'aime pas comment ça s'accélère, comme si le pick-up était monté sur patins plutôt que sur roues, ça slalomme sur courte piste et bientôt ce sera la raide côte à deux fois quinze degrés sous zéro — « pas si vite ! On est sur la glace noire, jÔhny ! Pas si vite, pour l'amour ! » — bruit des freins sur les tambours, quelle futilité quand le chemin a forme de patinoire ! — « la côte ! La côte juste devant nous ! Freine, jÔhny ! Freine, pour l'amour ! » — ça a rop ite, ai pas le emps de ien enser, le pick-up est deviendu pareil à une toupie, on tourne, on tourne sur nous-mêmes, de plusse en plusse lapidant c'est, j'ai peur, habaQUq-mon-sEuL-tenfant a peur aussi, il me serre si fort que j'arrive plus à respirer — «ah non! Pas un orignal épormyable! Pas dans une tempête pareille! Ça se peut pas pantoute!» — ça tourbillonne, ça virevolte, ça zigzague, on est tête par-dessus culte, culte par-dessus tête, on descend la côte, c'est sûr, je vois le ciel par la vitre du haillon mal fermé, fugitifespace bleu, puis double tonneau rouge, puis double tonneau rouge encore, je vois le haillon s'ouvrir tout gandissant, on dirait que le pick-up se monte sur ses roues d'en arrière, comme les grands bœufs d'exposition d'aBsalon-mOngArçon quand ils se rebellent de contre lui, je fais tout ce que je peux pour me retenir à la boîte du pick-up, mais je manque de mains et habaQUq-mon-sEuL-tenfant s'aide pas, puis c'est comme si le pick-up frappait de plein fouette un mur de glace et nous voilà expulsés de la boîte, comme femme-canonne, comme tinange-canon, à mille piépiés et un piépié dans les airs, puis c'est la chute véloce, puis ça se remplit partout de sang, à peine ai-je le temps de voir les têtes coupées de dame PantAléONne poRtELANCE et de jÔhny BONgGALOuPpttt qui continuent toute seules leur déroute vers l'hôpital, à peine ai-je le temps d'entendre l'énorme beuglement qui déchire son voile à la tempête, à peine ai-je le temps de m'assurer qu'habaQUq-mon-sEuL-tenfant est resté agrippé à l'enclavure de ma flanche, à peine ai-je le temps d'entendre un autre meuglement, puis ça nous tombe dessus, ça nous ensevelit dans la neigeante neige : le grand bœuf d'exposition d'aBsalon-mOn-gArçon voulait pas mourir tout seul au milieu de la déroute blanche, il s'est laissé tomber sur nous pour nous recouvrir de son corps éventré, amas de viscères et de sang, ça ruisselle de partout, on va fenir par se neyer dans la panse ouverte, on en a déjà jusqu'au col, une mort si tant rougissante quand c'est si tant blœuf blanc alentour, comment c'est c'est qu'on pourrait faire pour pas s'y bleuifier à jamais, ô roux et rude JesuisJesuice ?

Trois-pistoles
14 de février 20

Du même auteur

Mémoires d'outre-tonneau, roman, Montréal, Estérel, 1968; Trois-Pistoles, Éditions Trois-Pistoles, 1995.

La nuitte de Malcomm Hudd, roman, Montréal, Éditions du Jour, 1969; Montréal, VLB éditeur, 1979; Montréal, Alain Stanké, 1986; Trois-Pistoles, Éditions Trois-Pistoles, 1995; Montréal, Typo, 2000.

Race de monde, roman, Montréal, Éditions du Jour, 1969; Montréal, VLB éditeur, 1979; Montréal, Alain Stanké, 1986; Trois-Pistoles, Éditions Trois-Pistoles, 1996; Montréal, Typo, 2000.

Jos Connaissant, roman, Montréal, Éditions du Jour, 1970; Montréal, VLB éditeur, 1978; Montréal, Alain Stanké, 1986; Trois-Pistoles, Éditions Trois-Pistoles, 1996; Montréal, Typo, 2001.

Les grands-pères, roman, Montréal, Éditions du Jour, 1971; Paris, Robert Laffont, 1973; Montréal, VLB éditeur, 1979, Grand Prix littéraire de la Ville de Montréal; Montréal, Alain Stanké, 1986; Trois-Pistoles, Éditions Trois-Pistoles, 1996; Montréal, Typo, 2000.

Pour saluer Victor Hugo, essai, Montréal, Éditions du Jour, 1971; Montréal, Alain Stanké, 1985; Trois-Pistoles, Éditions Trois-Pistoles, 1996.

Jack Kérouac, essai-poulet, Montréal, Éditions du Jour, 1972; Paris, l'Herne, 1973; Montréal, Alain Stanké, 1987; Trois-Pistoles, Éditions Trois-Pistoles, 1996; Montréal, Typo, 2003.

Un rêve québécois, roman, Montréal, Éditions du Jour, 1972; Montréal, VLB éditeur, 1977; Trois-Pistoles, Éditions Trois-Pistoles, 1996.

Oh Miami Miami Miami, roman, Montréal, Éditions du Jour, 1973; Trois-Pistoles, Éditions Trois-Pistoles, 1995.

Don Quichotte de la Démanche, roman, Montréal, l'Aurore, coll. « L'Amélanchier », 1974; Paris, Flammarion, 1978, Prix du Gouverneur général du Canada; Paris, Flammarion, 1979; Montréal, Alain Stanké, 1988; Trois-Pistoles, Éditions Trois-Pistoles, 1998; Montréal, Typo, 2002.

En attendant Trudot, théâtre, Montréal, l'Aurore, 1974; *En attendant Trudot* suivi de *Y'avait beaucoup de Lacasse heureux*, Trois-Pistoles, Éditions Trois-Pistoles, 1998.

Manuel de la petite littérature du Québec, anthologie, Montréal, l'Aurore, 1974 ; Trois-Pistoles, Éditions Trois-Pistoles, 1998.

Blanche forcée, récit, Montréal, VLB éditeur, 1976 ; Paris, Flammarion, 1978 ; Trois-Pistoles, Éditions Trois-Pistoles, 1997.

Ma Corriveau suivi de *La sorcellerie en finale sexuée*, théâtre, Montréal, VLB éditeur, 1976 ; *Ma Corriveau* suivi du *Théâtre de la folie*, Trois-Pistoles, Éditions Trois-Pistoles, 1998.

N'évoque plus que le désenchantement de ta ténèbre, mon si pauvre Abel, roman, Montréal, VLB éditeur, 1976 ; Trois-Pistoles, Éditions Trois-Pistoles, 1996.

Monsieur Zéro, théâtre, Montréal, VLB éditeur, 1977 ; *Monsieur Zéro* suivi de *La route de Miami*, Trois-Pistoles, Éditions Trois-Pistoles, 1998.

Sagamo Job J, cantique, Montréal, VLB éditeur, 1977 ; Trois-Pistoles, Éditions Trois-Pistoles, 1997.

Un rêve québécois, roman, Montréal, VLB éditeur, 1977 ; Trois-Pistoles, Éditions Trois-Pistoles, 1996.

Cérémonial pour l'assassinat d'un ministre, oratorio, Montréal, VLB éditeur, 1978 ; *Cérémonial pour l'assassinat d'un ministre* suivi de *L'écrivain et le pays équivoque*, Trois-Pistoles, Éditions Trois-Pistoles, 1998.

Monsieur Melville, essai en trois tomes illustrés, tome I : *Dans les aveilles de Moby Dick ;* tome II : *Lorsque souffle Moby Dick ;* tome III : *L'Après Moby Dick ou La Souveraine Poésie*, Montréal, VLB éditeur, 1978, prix France-Canada ; Paris, Flammarion, 1980 ; Trois-Pistoles, Éditions Trois-Pistoles, 1997.

La tête de Monsieur Ferron ou les Chians, épopée drolatique, Montréal, VLB éditeur, 1979 ; Trois-Pistoles, Éditions Trois-Pistoles, 1998.

Una, roman, Montréal, VLB éditeur, 1980 ; Trois-Pistoles, Éditions Trois-Pistoles, 1997.

Satan Belhumeur, roman, Montréal, VLB éditeur, 1981, prix Molson ; Trois-Pistoles, Éditions Trois-Pistoles, 1999.

Moi Pierre Leroy, prophète, martyr et un peu fêlé du chaudron, roman-plagiaire, Montréal, VLB éditeur, 1982 ; Trois-Pistoles, Éditions Trois-Pistoles, 1999.

Discours de Samm, roman-comédie, Montréal, VLB éditeur, 1983 ; Trois-Pistoles, Éditions Trois-Pistoles, 1997.

Entre la sainteté et le terrorisme, essais, Montréal, VLB éditeur, 1984; Trois-Pistoles, Éditions Trois-Pistoles, 2001.

Steven le Hérault, roman, Montréal, Alain Stanké, 1985; Trois-Pistoles, Éditions Trois-Pistoles, 1999.

Chroniques polissonnes d'un téléphage enragé, recueil de chroniques, Montréal, Alain Stanké, 1986; Trois-Pistoles, Éditions Trois-Pistoles, 2000.

L'héritage, tome I: *L'automne*, roman, Montréal, Alain Stanké, 1987; Montréal, Alain Stanké, 1991; tome II: *L'hiver* et *Le printemps*, roman, Montréal, Alain Stanké, 1991.

Votre fille Peuplesse par inadvertance, théâtre, Montréal, Alain Stanké, 1990.

Docteur Ferron, essai, Montréal, Alain Stanké, 1991; Trois-Pistoles, Éditions Trois-Pistoles, 2001.

La maison cassée, théâtre, Montréal, Alain Stanké, 1991; Trois-Pistoles, Éditions Trois-Pistoles, 2002.

Pour faire une longue histoire courte, entretiens avec Roger Lemelin, Montréal, Alain Stanké, 1991; Trois-Pistoles, Éditions Trois-Pistoles, 2002.

Sophie et Léon, théâtre, suivi de l'essai-journal *Seigneur Léon Tolstoï*, Montréal, Alain Stanké, 1992; Trois-Pistoles, Éditions Trois-Pistoles, 2003.

Gratien, Tit-Coq, Fridolin, Bousille et les autres, entretiens avec Gratien Gélinas, Montréal, Alain Stanké, 1993.

La nuit de la grande citrouille, théâtre, Montréal, Alain Stanké, 1993; Trois-Pistoles, Éditions Trois-Pistoles, 2000.

Monsieur de Voltaire, essai, Montréal, Alain Stanké, 1994; Trois-Pistoles, Éditions Trois-Pistoles, 2003.

Les carnets de l'écrivain Faust, essai, édition de luxe, Montréal, Alain Stanké, 1995; Trois-Pistoles, Éditions Trois-Pistoles, 2003.

Le bonheur total, vaudecampagne, Montréal, Alain Stanké, 1995; Trois-Pistoles, Éditions Trois-Pistoles, 2003.

La jument de la nuit, tome I: *Les oncles jumeaux*, roman, Montréal, Alain Stanké, 1995.

Chroniques du pays malaisé 1970-1979, essais, Trois-Pistoles, Éditions Trois-Pistoles, 1996.

Deux sollicitudes, entretiens avec Margaret Atwood, Trois-Pistoles, Éditions Trois-Pistoles, 1996.

Écrits de jeunesse 1964-1969, essais, Trois-Pistoles, Éditions Trois-Pistoles, 1996.

L'héritage, théâtre, Trois-Pistoles, Éditions Trois-Pistoles, 1996.

La guerre des clochers, théâtre, Trois-Pistoles, Éditions Trois-Pistoles, 1997.

Pièces de résistance en quatre services, théâtre, avec Sylvain Rivière, Denys Leblond et Madeleine Gagnon, Trois-Pistoles, Éditions Trois-Pistoles, 1997.

Beauté féroce, théâtre, Trois-Pistoles, Éditions Trois-Pistoles, 1998.

Les contes québécois du grand-père forgeron à son petit-fils Bouscotte, Trois-Pistoles, Éditions Trois-Pistoles, 1998.

Québec ostinato, essai, Trois-Pistoles, Éditions Trois-Pistoles, coll. «Alternatives», 1998.

Un loup nommé Yves Thériault, essai, Trois-Pistoles, Éditions Trois-Pistoles, 1999.

Bouscotte. Le goût du beau risque, roman, Trois-Pistoles, Éditions Trois-Pistoles, 2001.

Bouscotte. Les conditions gagnantes, roman, Trois-Pistoles, Éditions Trois- Pistoles, 2001.

27 petits poèmes pour jouer dans l'eau des mots, poésie, Trois-Pistoles, Éditions Trois-Pistoles, 2001.

Les mots des autres. La passion d'éditer, Montréal, VLB éditeur, 2001.

Bouscotte. L'amnésie globale transitoire, roman, Trois-Pistoles, Éditions Trois-Pistoles, 2002.

Contes, légendes et récits du Bas-du-Fleuve, Trois-Pistoles. Éditions Trois-Pistoles, 2003.

Arthur Buies. Petites chroniques du Bas-du-Fleuve, Trois-Pistoles. Éditions Trois-Pistoles, 2003.

Trois-Pistoles et les Basques. Le pays de mon père, album illustré, Trois-Pistoles, Éditions Trois-Pistoles, 1997; Trois-Pistoles, Éditions Trois-Pistoles, 2004.

Le Bas-Saint-Laurent. Les racines de Bouscotte, album illustré, Trois-Pistoles, Éditions Trois-Pistoles, 1998; Trois-Pistoles, Éditions Trois-Pistoles, 2004.

De Race de monde *au* Bleu du ciel, Trois-Pistoles, Éditions Trois-Pistoles, collection «Écrire», 2004.

Je m'ennuie de Michèle Viroly, roman, Trois-Pistoles, Éditions Trois-Pistoles, 2005.

Correspondances (avec Jacques Ferron), Trois-Pistoles, Éditions Trois-Pistoles, 2005.

Petit Monsieur, conte, Québec, Musée national des beaux-arts du Québec, 2005.

Le bleu du ciel (avec André Morin), roman, Trois-Pistoles, Éditions Trois-Pistoles, 2005.

Cet ouvrage, composé en New Caledonia 14,
a été a chevé d'imprimer à Montmagny
sur les presses de l'imprimerie Marquis
en mars deux mille six.